AGATHA CHRISTIE

Le Cheval pâle

TRADUCTION DE JANINE LÉVY

LIBRAIRIE DES CHAMPS-ÉLYSÉES

Titre original :

THE PALE HORSE

« ... je vis un cheval de couleur pâle,
et celui qui le montait était la Mort
et l'Enfer le suivait... »

APOCALYPSE,
Chapitre six, verset huit.

7

cramponne à ses convictions même s'il est prouvé qu'elles sont erronées...

Hermia REDCLIFFE — Intelligente jeune femme parfaitement rationnelle, dont toute la science de la sorcellerie se limite à *Macbeth*.

Poppy STIRLING — Femelle éblouissante mais crâne de piaf, dont l'esprit est un kaléidoscope d'informations aussi décousues que primordiales.

Rhoda DESPARD — Elle emmène les gens au *Cheval pâle* sans soupçonner qu'il ne s'agit pas seulement d'un endroit charmant où prendre le thé...

Rév. Caleb Dane CALTHROP — Pasteur de son état et délicieux vieil érudit, qui sait ce qu'est le pardon ou le châtiment mais ignore tout du mal...

Ginger CORRIGAN — Rousse déterminée qui ne découvre pas seulement de vieux tableaux pour des musées; elle ne croyait pas aux puissances des ténèbres jusqu'à ce que sa vie soit en jeu...

Mrs Dane CALTHROP — Elle s'est attribué le devoir de quantifier et classifier les péchés à l'intention de son pasteur de mari — le mal est son domaine.

Colonel DESPARD — Homme perspicace au passé aventureux, il reconnaît qu'il n'y a pas toujours une explication rationnelle aux événements quels qu'ils soient.

Mr VENABLES — Individu au passé mystérieux et à la philosophie du surhomme, il vit libéré du code de moralité qui entrave le commun des mortels.

Thyrza GREY — Elle a la réputation de posséder des pouvoirs occultes et de voyance; elle est convaincue qu'à travers le désir de mort, il est possible de manipuler le subconscient de n'importe quelle victime...

Sybil STAMFORDIS — Créature exotique aux pouvoirs extraordinaires, elle est capable de se séparer de son corps à l'occasion d'une transe qui la transporte au-delà de notre monde...

BELLA — Cuisinière de métier et sorcière de réputation, les coqs qu'elle sacrifie ne sont pas toujours destinés à la casserole...

C.R. Bradley — Avocat radié du barreau, il gagne sa vie en pariant sur la vie des autres, et s'arrange toujours pour empocher d'une manière quelconque.

Avant-propos

Par Mark Easterbrook

Il existe, me semble-t-il, deux façons d'aborder l'étrange affaire du *Cheval pâle*. En dépit des préconisations d'usage, il n'est en effet pas toujours évident d'atteindre à la simplicité. Autrement dit, on ne peut pas toujours « commencer par le commencement, continuer jusqu'à la fin et puis s'arrêter là ». Car, où se trouve le commencement ?

Pour l'historien, c'est toujours là que réside la difficulté. À quel moment commence tel épisode particulier de l'histoire ?

Cette affaire peut débuter au moment où le père Gorman quitte son presbytère pour se rendre au chevet d'une mourante. Ou bien avant ça, un beau soir, à Chelsea.

Puisque je vais écrire moi-même la plus grande partie de ce récit, peut-être est-ce tout compte fait par là que je dois commencer.

1

RÉCIT DE MARK EASTERBROOK

Derrière moi, la machine à espresso se mit à siffler comme un serpent en colère. Le bruit qu'elle faisait était sinistre, pour ne pas dire diabolique. Mais nos bruits contemporains n'ont-ils pas presque tous ces mêmes connotations ? Le vrombissement furieux des avions à réaction fendant le ciel, le grondement menaçant du métro surgissant de son tunnel, les poids lourds qui ébranlent en passant jusqu'aux fondations de votre immeuble... Aujourd'hui, même les menus bruits domestiques, si profitable que soit leur action, recèlent une sorte de mise en garde. Le lave-vaisselle, le réfrigérateur, la cocotte minute, l'aspirateur... « Méfie-toi, ont-ils tous l'air de dire, je suis un génie attaché à ton service, d'accord, mais si jamais tu perdais le contrôle que tu as sur moi... »

Un monde dangereux... voilà ce dans quoi nous vivons : un monde dangereux.

Je remuai ma cuillère dans la tasse qui fumait devant moi. Quelle délicieuse odeur !

— Qu'est-ce que vous prendrez avec ça ? Un bon petit sandwich à la banane et au bacon ?

L'accouplement me parut étrange. Pour moi, la banane avait toujours été associée à mon enfance — ou bien, parfois, on vous la servait flambée avec du sucre et du rhum. Le bacon, lui, était inséparable des œufs sur le plat. Quoi qu'il en soit, si tu es à Chelsea, mange comme on mange à Chelsea, philosophai-je. J'acceptai donc le bon petit sandwich à la banane et au bacon.

J'avais beau vivre à Chelsea, à savoir que j'y occupais depuis trois mois un appartement meublé, je n'en demeurais pas moins un parfait étranger dans ce coin. J'étais en train d'écrire un livre sur certains aspects de l'architecture mongole, et que j'habite Hampstead, Bloomsbury, Streatham ou Chelsea ne faisait pour moi aucune différence. Mis à part les outils de mon métier, je ne voyais rien de ce qui m'entourait, je ne me souciais en aucune façon de mon environnement. Je vivais dans un monde à moi.

Ce soir-là, pourtant, j'avais été saisi de ce dégoût soudain, bien connu des écrivains.

Brusquement, l'architecture mongole, les empereurs mongols, le mode de vie des Mongols et tous les fascinants problèmes qu'ils soulèvent n'étaient plus pour moi que cendre et poussière. Quelle importance ? Qu'avais-je de si fondamental à dire sur ce sujet ?

Je feuilletai quelques pages en me relisant. Tout me paraissait uniformément mauvais, mal écrit et singulièrement dépourvu d'intérêt. Celui qui a dit « L'histoire, c'est du bidon » (Henry Ford ?) avait cent fois raison.

Je repoussai mon manuscrit avec répugnance, me levai et regardai ma montre. Il était presque 11 heures du soir. J'essayai de me rappeler si j'avais dîné. À en juger par mes sensations internes, je penchai pour la négative. J'avais déjeuné, oui, à l'*Athenéum*. Il y avait de ça très longtemps.

J'allai jeter un coup d'œil dans le réfrigérateur. Il restait un petit bout de langue desséchée qui ne me disait rien qui vaille. Et c'est ainsi que je me retrouvai dehors, errant dans King's Road, où je finis par entrer dans un bistrot dont le nom, *Luigi*, était inscrit au néon rouge sur la vitrine, et que je contemplais maintenant un sandwich à la banane et au bacon tout en réfléchissant aux implications des bruits d'aujourd'hui et à leurs effets atmosphériques.

Ils avaient tous, me dis-je, quelque chose en commun avec mes lointains souvenirs de ces féeries traditionnellement représentées à Noël. Satan émergeant des entrailles de la terre dans des tourbillons fuligineux! Les puissances infernales du Mal s'échappant par des trappes et des soupiraux pour venir défier la bonne fée Diamant — ou quel que soit le nom dont elle s'affublait —, laquelle bonne fée agitait à son tour une baguette magique d'aspect improbable et récitait d'un ton égaré des platitudes vibrantes d'espoir dans le triomphe final du Bien, prélude à l'inévitable « cantique de circonstance », lequel n'avait d'ordinaire que peu à voir avec le spectacle en cours.

Il m'apparut soudain que le mal était sans doute nécessairement toujours plus impressionnant que le bien. Il fallait qu'il se donne en spectacle! Il se devait de surprendre et de lancer un défi! C'était l'instabilité à l'assaut de la stabilité. Mais à la fin, me dis-je, la stabilité vaincra toujours. La stabilité peut survivre aux platitudes de la bonne fée Diamant, au fait qu'elle chante faux, aux distiques rimés qu'elle ânonne et même à cette déclaration totalement hors de propos : « Une route en lacet part du sommet de la colline, Pour me mener en bas, vers la vieille ville qui m'attend. » De bien piètres armes, semble-t-il, et pourtant ces armes l'emporteront inévitablement. Le spectacle finira comme il a toujours fini : la troupe descendant les marches par ordre hiérarchique, avec la bonne fée Diamant pratiquant la vertu chrétienne d'humilité et ne cherchant pas à être la première — ou, dans ce cas particulier, la dernière —, mais arrivant à peu près au milieu de la procession, côte à côte avec son ancien adversaire, lequel n'apparaît plus comme le féroce Seigneur des Enfers soufflant le feu et le soufre, mais simplement comme un pauvre bougre vêtu d'un collant rouge.

La machine à espresso siffla de nouveau à mes oreilles. Je fis signe qu'on m'apporte une autre tasse de café et regardai autour de moi. Une de mes sœurs me reprochait toujours de n'être pas observateur, de ne rien remarquer de ce qui se passait. « Tu vis dans un monde à toi », me répétait-elle d'un ton accusateur. Maintenant, avec la conscience de ma vertu, je prenais note de ce qui m'entourait. Il était pratiquement impossible de lire les journaux sans tomber quotidiennement sur un article concernant les cafés italiens et leur clientèle ; j'avais là l'occasion de me faire ma propre opinion sur la vie contemporaine.

Il faisait assez sombre dans le bistrot et je ne n'y voyais pas très bien. La clientèle était composée surtout de jeunes gens. Ils faisaient partie, supposai-je vaguement, de ce qu'on appelait la génération « en colère ». Les filles avaient l'air de ce dont elles ont toujours l'air pour moi par les temps qui courent, c'est-à-dire crasseuses. Elles me paraissaient aussi trop chaudement vêtues. Je l'avais déjà remarqué quelques semaines auparavant, lorsque j'étais sorti dîner avec des amis. La fille qui était assise à côté de moi devait avoir une vingtaine d'années. Il faisait chaud dans le restaurant, mais elle portait un pull-over de laine jaune, une jupe noire et des chaussettes de laine noires, et la sueur lui avait coulé sur la figure tout le long du repas. Elle sentait la laine imbibée de transpiration et aussi, très fort, les cheveux sales.

À en croire mes amis, elle était la séduction même. Pas pour moi ! Je n'avais qu'une envie : la plonger dans un bain chaud, la gratifier d'un morceau de savon et l'encourager à s'en servir ! Ce qui montre bien, j'imagine, à quel point je suis déphasé. Cela vient peut-être de ce que j'ai vécu trop longtemps à l'étranger. J'ai plaisir à me rappeler les femmes indiennes, leurs magnifiques torsades de cheveux noirs, leurs saris aux couleurs chatoyantes tombant autour d'elles en plis gracieux et le balancement rythmé de leurs corps en mouvement...

16

Une soudaine recrudescence de bruit m'arracha à ces agréables évocations. À la table voisine, deux jeunes femmes s'étaient mises à se quereller. Les garçons qui les accompagnaient essayaient de les calmer — en vain.

Elles commencèrent à s'invectiver. Une des filles envoya une gifle à l'autre qui arracha la première à sa chaise. Puis elles se battirent comme des harengères en poussant des cris hystériques. L'une était une rousse échevelée, l'autre une blonde à la tignasse raide et terne.

Mis à part les insultes, je n'arrivais pas à comprendre le sujet de leur dispute. Des cris et des sifflets fusèrent des tables alentour.

— Vas-y! Fais-lui la peau, Lou!

Le patron, frêle individu à rouflaquettes et à l'air italien, qui se trouvait derrière le bar et que je supposai être Luigi, intervint en pur cockney londonien :

— Dites donc, allez-y mollo, les gonzesses... Mollo, j'vous dis... Z'allez rameuter toute la rue. Les flics vont radiner en moins de deux. Arrêtez, j'vous dis.

Mais la blonde tirait furieusement la rousse par les cheveux en hurlant :

— Tu n'es qu'une pute, une voleuse de mecs!

— Pute toi-même!

Luigi et leurs deux compagnons, très gênés, séparèrent les filles de force. La blonde tenait à la main de grosses touffes de cheveux roux. Elle les brandit triomphalement puis les jeta par terre.

La porte d'entrée s'ouvrit à la volée, livrant passage à l'Autorité, de bleu vêtue et qui se dressa sur le seuil en articulant dignement les paroles d'usage :

— Qu'est-ce qui se passe, là-dedans?

La salle quasi entière fit immédiatement front commun devant l'ennemi.

— On ne faisait rien que s'amuser, répondit l'un des jeunes gens.

— Oui, c'est tout, confirma Luigi. Ils faisaient rien que s'amuser un peu entre amis.

Il repoussa adroitement du pied les touffes de cheveux sous la table la plus proche. Les adversaires échangèrent un sourire de prétendue amnistie.

Le policier toisa tout le monde d'un air soupçonneux.

— On se préparait même à s'en aller, déclara la blonde d'une voix angélique. Tu viens, Doug?

Par une étrange coïncidence, ils étaient plusieurs qui se préparaient ainsi à s'en aller. L'Autorité leur lança un regard menaçant qui semblait dire : passe pour cette fois, mais je vous ai à l'œil. Et elle se retira avec une sage lenteur.

Le compagnon de la rousse paya l'addition.

— Ça va? demanda Luigi à la fille qui s'arrangeait un fichu sur la tête. Lou n'y a pas été de main morte à vous arracher les cheveux comme ça par touffes entières!

— Je n'ai rien senti, répondit la fille avec nonchalance. Désolée pour cette prise de bec, Luigi.

Ils sortirent. Le bistrot était maintenant pratiquement désert. Je cherchai de la monnaie dans mes poches.

— C'est une brave fille, remarqua Luigi avec approbation en regardant la porte se refermer.

Il attrapa un balai et poussa les touffes de cheveux roux derrière le comptoir.

— Elle a dû souffrir le martyre, fis-je.

— À sa place, j'aurais hurlé, reconnut Luigi. Mais cette Tommy, elle a du cran.

— Vous la connaissez bien?

— Oh! elle vient ici presque tous les soirs. Tuckerton, qu'elle s'appelle, Thomasina Tuckerton, si vous voulez le jeu complet. Mais par ici on l'appelle Tommy Tucker. Pourrie de fric, avec ça. Son vieux lui a laissé une fortune et qu'est-ce qu'elle en fait? Elle vit à Chelsea, dans un taudis, à mi-chemin de Wandsworth Bridge, et traîne avec une bande du même acabit. Ça me dépasse, moi. La plupart d'entre eux ont de l'argent plein les poches. Ils pourraient s'offrir tout ce qu'ils veulent, s'installer au *Ritz* pour peu que ça leur chante. Non, on dirait que ça les fait bicher de vivre comme ça. Y a pas, moi, ça me dépasse.

— Ce n'est pas ce que vous feriez ?

— J'suis pas maboul, non mais ? répliqua Luigi. Seulement tel que c'est, j'en profite.

En me levant pour partir, je lui demandai quel était le motif de leur dispute.

— Bah ! Tommy a mis le grappin sur le jules de l'autre fille. Il ne mérite pourtant pas qu'on se crêpe le chignon pour lui, c'est moi qui vous le dis !

— L'autre fille avait l'air d'estimer que si, lui fis-je remarquer.

— Bof ! Lou est une romantique, rétorqua Luigi avec indulgence.

Ce n'était pas exactement ma conception du romantisme, mais je me gardai néanmoins de le lui faire remarquer.

★

Environ une semaine plus tard, dans la rubrique des décès du *Times,* un nom attira mon attention.

Tuckerton. *Le 2 octobre, à la clinique de Fallowfield, Amberley, Thomasina Ann, 20 ans, fille unique de feu Thomas Tuckerton, Esq., de Carrington Park, Amberley, Surrey. Obsèques dans l'intimité. Ni fleurs ni couronnes.*

Ni fleurs ni couronnes pour la pauvre Tommy Tucker ; et finie la vie excitante à Chelsea. Je ressentis une soudaine compassion pour les Tommy Tucker d'aujourd'hui. Après tout, me dis-je, comment pouvais-je être sûr que mon point de vue était le bon ? De quel droit pouvais-je décider qu'elles gâchaient leur existence ? C'était peut-être la mienne, ma vie pépère vouée aux études, immergée dans les livres, coupée du monde, qui était du gâchis ? Une vie par procuration. Soyons honnête : est-ce que je tirais une excitation quelconque de ma vie ? Me faisait-elle... « bicher » ? Quelle étrange idée ! La vérité, bien entendu, c'est que je ne cherchais pas l'excitation. Mais, encore une fois, j'aurais peut-être dû ? Étrange idée, plutôt mal venue.

J'écartai Tommy Tucker de mes pensées et retournai à ma correspondance.

Ma principale lettre venait de ma cousine Rhoda Despard, qui me demandait de lui rendre un service. Je sautai sur l'occasion, car, n'étant pas d'humeur au travail ce matin-là, c'était là un magnifique prétexte pour le remettre à plus tard.

Je sortis sur King's Road, hélai un taxi et me fis conduire chez une de mes amies, Mrs Ariadne Oliver.

Mrs Oliver était un écrivain de romans policiers bien connu. Et Milly, sa soubrette, un dragon efficace qui protégeait sa maîtresse des intrusions du monde extérieur.

Je levai les sourcils en une question muette. Milly hocha la tête avec véhémence :

— Montez directement, Mr Mark. Elle est d'humeur noire, aujourd'hui. Vous l'aiderez peut-être à en sortir.

Je montai deux volées d'escalier, toquai à une porte et entrai sans attendre d'y être encouragé. Le cabinet de travail de Mrs Oliver était une pièce de bonne taille, aux murs tapissés d'oiseaux exotiques nichés dans un feuillage tropical. Quant à Mrs Oliver, elle tournait en rond dans la pièce en marmonnant, dans un état proche de l'insanité. Elle me lança un bref coup d'œil dépourvu d'intérêt et continua à tourner en rond. Son regard glissait le long des murs, allait vers la fenêtre, sans jamais se fixer, et ses yeux se fermaient par moments dans ce qui paraissait être un spasme de douleur.

— Mais pourquoi, demandait-elle à tout l'univers, pourquoi est-ce que cet abruti n'a pas dit tout de suite qu'il avait vu le cacatoès? Pourquoi? Il ne pouvait pas ne pas le voir! Mais s'il en parle maintenant, ça démolit tout. Il doit y avoir un moyen... il doit y en avoir un...

Elle poussa un grognement, passa la main dans sa courte chevelure grise qu'elle agrippa avec frénésie. Puis, fixant brusquement les yeux sur moi, elle m'apostropha :

— Bonjour, Mark. Je vais devenir folle.

Et elle recommença à gémir :

— Et puis il y a Monica. Plus j'essaie de la rendre sympathique, plus elle devient agaçante... Une telle idiote... Et contente d'elle, avec ça! Monica... Monica? Je crois que ce prénom ne lui convient pas. Nancy? Est-ce que ce serait mieux? Ou Joan? Tout le monde s'appelle Joan. Anne, c'est pareil. Susan? J'ai déjà eu une Susan. Lucia? *Lucia? Lucia?* Je verrais très bien une Lucia. Rousse. Avec un pull-over à col roulé... Des collants noirs? Des bas noirs, en tout cas.

Le souvenir du cacatoès vint éclipser cet instant d'euphorie, et Mrs Oliver reprit son périple, attrapant sans les voir des objets qu'elle reposait ailleurs. Elle rangea avec un certain soin ses lunettes dans une boîte en laque qui contenait déjà un éventail chinois, poussa un profond soupir et déclara :

— Je suis contente que ce soit vous.

— C'est très gentil de votre part.

— Ç'aurait pu être n'importe qui. Une bonne femme stupide qui voudrait que je patronne une vente de charité, ou un type à propos de la carte d'Assurances sociales que Milly se refuse à avoir... ou le plombier — mais, ça, ce serait trop de chance, n'est-ce pas? Ç'aurait pu être aussi quelqu'un qui me réclamerait une interview, et qui me poserait comme à chaque fois les mêmes questions embarrassantes. Qu'est-ce qui vous a amenée à écrire? Combien de romans avez-vous déjà publiés? Combien d'argent cela vous rapporte-t-il? Etc. etc. Je ne sais jamais quoi répondre et j'ai l'air d'une imbécile. Mais tout ça n'a plus aucune importance parce que je crois vraiment que je vais devenir folle avec cette histoire de cacatoès.

— Quelque chose qui ne colle pas ? demandai-je, plein de sympathie. Je ferais peut-être mieux de m'en aller.

— Non, n'en faites rien. Au moins, vous êtes une distraction.

J'encaissai ce douteux compliment.

— Vous voulez une cigarette ? me demanda Mrs Oliver, vaguement conviviale. Il doit y en avoir quelque part. Regardez dans le couvercle de la machine à écrire.

— J'ai les miennes, merci. Prenez-en une. Ah ! non, c'est vrai, vous ne fumez pas.

— Et je ne bois pas non plus, répliqua Mrs Oliver. Si seulement je le faisais ! Comme ces détectives américains qui ont toujours une bière ou du whisky dans un tiroir de leur bureau. Cela résout tous leurs problèmes. Vous savez, Mark, je n'arrive vraiment pas à comprendre comment on peut se tirer d'un meurtre dans la vie réelle. Quand vous en avez commis un, j'ai l'impression que ça doit se voir comme le nez au milieu de la figure.

— Allons donc ! Vous en avez commis tout un tas.

— Au moins cinquante-cinq... L'assassinat lui-même, c'est simple comme bonjour. Ce qui est difficile, c'est de brouiller les pistes. Comment cela pourrait-il être quelqu'un d'autre que vous ? Ça crève les yeux.

— Pas dans la version définitive, dis-je.

— Ah ! mais si vous saviez ce que cela me coûte, répliqua-t-elle d'un air sombre. Vous aurez beau dire, ce n'est pas normal que cinq ou six personnes se trouvent là quand B est assassiné, et qu'ils aient tous une raison de le tuer — à moins, bien sûr, que B soit absolument, follement, irrémédiablement antipathique, mais dans ce cas personne ne se souciera qu'il ait été tué ou non, et encore moins de savoir par qui il l'a été.

— Je comprends votre problème, lui assurai-je. Mais comme vous avez déjà réussi à le résoudre cinquante-cinq fois, vous y parviendrez bien une fois encore.

— C'est bien ce que je me dis, répondit Mrs Oliver. Mais j'ai beau me le répéter sans arrêt, je n'arrive jamais à m'en convaincre et je souffre le martyre.

Elle tira de nouveau violemment sur ses cheveux.

— Ne faites pas ça! m'écriai-je. Vous allez les arracher!

— Ridicule, voyons. C'est solide, des cheveux. Encore qu'ils soient tombés quand j'ai eu la rougeole et une très forte température, à quatorze ans. J'avais le front tout dégarni. Une horreur. Et il a fallu six mois pour qu'ils repoussent. C'est abominable pour une fille... on y attache tellement d'importance. J'y pensais justement hier en allant rendre visite à Mary Delafontaine, à la clinique. Elle perd ses cheveux exactement comme j'avais perdu les miens. Elle dit qu'elle va être obligée de se procurer une moumoute quand elle ira mieux. À soixante ans, ça ne repousse peut-être pas toujours, j'imagine.

— J'ai vu une fille arracher à poignées les cheveux d'une de ses copines, l'autre soir, fis-je observer non sans une certaine fierté, celle de quelqu'un qui a été confronté à la vie.

— Dans quel invraisemblable endroit étiez-vous donc allé? s'inquiéta Mrs Oliver.

— Dans un bistrot italien, à Chelsea.

— Oh, à Chelsea! riposta Mrs Oliver. Il peut arriver n'importe quoi là-bas, j'imagine. C'est plein de beatniks, de spoutniks, de ringards, de hippies plus ou moins babas... Je ne parle pas d'eux dans mes livres parce que j'ai trop peur de m'embrouiller dans la terminologie. Il vaut toujours mieux s'en tenir à ce qu'on connaît.

— Comme par exemple?

— Aux gens qui vivent dans des palaces ou partent en croisière, à ce qui se passe dans les hôpitaux, au conseil municipal ou dans les ventes de charité, aux festivals de musique, aux vendeuses, aux femmes de ménage et à celles qui font partie d'un comité, aux jeunes gens et aux jeunes filles qui font le tour du monde à pied dans l'intérêt de la science, aux vendeurs...

Elle s'arrêta, hors d'haleine.

— Cela me paraît déjà assez vaste pour commencer, remarquai-je.

— N'empêche, vous pourriez m'emmener un jour dans un de ces bouges de Chelsea, ne serait-ce que pour élargir mon champ d'expérience.

— Quand vous voudrez. Ce soir ?

— Non, pas ce soir. Je suis trop occupée à écrire, ou plutôt à me ronger parce que je n'arrive pas à écrire. C'est ce qu'il y a de plus fatigant dans ce métier — bien qu'en réalité tout en lui soit fatigant, mis à part ce moment unique où il vous vient une idée qui vous paraît mirobolante et où vous mourez d'impatience de vous y mettre. Dites-moi, Mark, pensez-vous qu'il soit possible de tuer quelqu'un par télécommande ?

— Qu'entendez-vous par télécommande ? Appuyer sur un bouton et lancer un rayon de la mort radioactif ?

— Non, non, pas de la science-fiction. En vérité, reprit-elle, dubitative, je pense plutôt à la magie noire.

— À des figurines de cire plantées d'épingles ?

— Oh ! les figurines de cire sont passées de mode, répliqua Mrs Oliver avec mépris. Mais il arrive de drôles de choses en Afrique, ou aux Antilles. Les gens n'arrêtent pas de vous raconter ça. Comment les indigènes se couchent en boule et meurent. Le vaudou... les gris-gris... enfin, vous voyez de quoi je parle.

Je lui répondis qu'aujourd'hui, on attribuait la plupart de ces manifestations au pouvoir de la suggestion. On explique à la victime que sa mort a été décrétée par le grand sorcier de service, et son subconscient fait le reste.

Mrs Oliver ricana :

— Si quelqu'un prétendait que j'ai été condamnée à me rouler en boule et à passer l'arme à gauche, je me ferais un plaisir de tromper son attente !

— Des siècles de bon scepticisme occidental coulent dans vos veines, répliquai-je en riant. Vous n'êtes pas mûre pour ça.

— Parce que, vous, vous croyez que ça peut arriver ?

— Je ne connais pas assez le sujet pour en juger. Mais qu'est-ce qui vous a mis cette idée-là dans la tête ? *Meurtre par suggestion* serait-il le nouveau chef-d'œuvre que vous nous concoctez ?

— Certainement pas. La bonne vieille mort-aux-rats ou l'arsenic me suffisent. Ou le cher instrument contondant. Pas d'armes à feu si possible. On ne peut pas s'y fier. Mais vous n'êtes pas venu ici pour me parler de mes romans.

— Franchement, non. En fait, ma cousine Rhoda Despard s'occupe d'une kermesse et...

— Jamais plus ! s'écria Mrs Oliver. Vous savez ce qui est arrivé la dernière fois ? J'avais organisé une Course à l'Assassin, et nous sommes tombés aussitôt sur un vrai cadavre. Je ne m'en suis jamais remise !

— Il ne s'agit pas d'une Course à l'Assassin. Tout ce que vous auriez à faire, c'est de rester assise sous une tente de jardin et de signer vos propres œuvres... ce qui vous mettrait à cinq shillings le paraphe.

— Alors, là..., s'émut Mrs Oliver, soudain songeuse. Ça pourrait se faire... Je n'aurai pas à inaugurer la kermesse ? Ni à débiter des âneries ? Ni à porter un chapeau ?

Je lui assurai qu'on ne lui demanderait rien de tout ça.

— Et cela ne durera qu'une heure ou deux, ajoutai-je, enjôleur. Après cela, il y aura un match de cricket... non, pas à cette saison. Des rondes enfantines, peut-être. Ou un concours de déguisements...

Je fus interrompu par le cri sauvage que poussa Mrs Oliver.

— C'est ça! vociféra-t-elle. Une balle de cricket! Évidemment! Il la voit de la fenêtre... qui s'élève dans les airs... Ça le distrait... et voilà pourquoi il n'a jamais parlé du cacatoès.

Quelle chance que vous soyez venu, Mark. Vous avez été sensationnel!

— Je ne saisis pas très bien...

— Vous peut-être pas, mais moi si. C'est plutôt compliqué, tout ça, reprit la digne personne, et je n'ai pas envie de perdre mon temps en explications. Malgré tout le plaisir que j'ai pris à vous voir, ce que j'aimerais à présent, c'est que vous partiez. Sur-le-champ.

— Certainement. Et à propos de la kermesse...

— Je vais y réfléchir. Ne m'embêtez pas maintenant. Où diable ai-je mis mes lunettes? C'est insensé cette manie qu'ont les objets de disparaître...

2

Mrs Gerahty ouvrit la porte du presbytère avec sa brusquerie coutumière. C'était moins la réponse à un coup de sonnette qu'un triomphant : « Cette fois, je t'y prends, garnement! »

— Bon, eh bien, qu'est-ce que tu veux? demanda-t-elle d'un ton belliqueux.

Un petit garçon se tenait sur le seuil, un petit garçon insignifiant — de ceux qu'on ne remarque pas, qu'on ne se rappelle pas — un petit garçon comme il en est tant. Enrhumé, il renifla :

— C'est bien là qu'habite le prêtre ?

— C'est le père Gorman que tu veux voir ?

— On l'réclame, répondit le garçon.

— Qui le réclame, où et pour quoi faire ?

— Benthall Street. Au 23. Y a une femme qu'est en train d'passer. C'est Mrs Coppins qui m'envoie. C'est bien catholique, ici ? Parce que la femme, elle dit qu'un pasteur ferait pas l'affaire.

Mrs Gerahty le rassura sur ce point, lui intima l'ordre de ne pas bouger et rentra dans le presbytère. Trois minutes plus tard un vieux prêtre en sortait, une mallette de cuir à la main.

— Je suis le père Gorman, dit-il. Benthall Street ? C'est du côté du dépôt des chemins de fer, non ?

— Ouais. À deux pas.

Ils se mirent en route ensemble, le prêtre marchant à grandes enjambées :

— Mrs... Coppins... C'est bien ce que tu as dit ?

— C'est la proprio. Elle loue des chambres. C'est une locataire qui vous demande. Elle s'appelle Davis, j'crois.

— Davis... Je me demande bien... Je n'ai pas souvenance...

— Elle fait partie d'votre truc, pourtant. Catholique, j'veux dire. Elle voulait pas d'un pasteur.

Le prêtre hocha la tête. Ils arrivèrent promptement à Benthall Street. Le garçon lui indiqua une grande bâtisse lépreuse parmi d'autres grandes bâtisses lépreuses :

— C'est là.

— Tu n'entres pas ?

— C'est pas chez moi. Mrs Coppins, elle m'a donné un shilling pour faire la commission.

— Je vois. Comment tu t'appelles ?

— Mike Potter.

— Merci, Mike.

— De rien, répondit Mike qui s'éloigna en sifflotant.

L'imminence de la mort d'autrui ne l'affectait pas outre mesure.

La porte du n° 23 s'ouvrit devant Mrs Coppins, robuste créature à la trogne enluminée qui accueillit son visiteur avec enthousiasme :

— Entrez, entrez, faites donc! Elle n'est pas fraîche, si vous voulez que je vous dise. Sa place, ce serait à l'hôpital, et pas ici. J'ai téléphoné, mais par les temps qui courent, Dieu sait si quelqu'un se dérangera. La sœur à mon mari, elle a attendu six heures d'horloge quand elle s'est cassé la jambe. C'est honteux, voilà ce que j'en pense. Les Assurances sociales, parlons-en! Ils savent comment vous prendre vos sous mais quand c'est qu'on a besoin d'eux, il n'y a plus personne!

Tout en parlant, elle conduisait le prêtre par un étroit escalier.

— Qu'est-ce qu'elle a?

— La grippe, voilà ce qu'elle a eu. Et puis elle a eu l'air d'aller mieux. M'est avis qu'elle est sortie trop tôt. En tout cas, quand elle est rentrée hier au soir, elle avait une mine de déterrée. Même qu'elle s'est couchée sans manger. Elle n'a pas voulu qu'on appelle le docteur. Et ce matin, j'ai bien vu qu'elle avait une fièvre de cheval. Ça lui sera tombé sur les poumons.

— Une pneumonie?

Hors d'haleine maintenant, Mrs Coppins émit un hennissement de locomotive à vapeur qui paraissait tenir lieu d'assentiment. Elle ouvrit une porte à la volée, s'écarta pour laisser passer le père Gorman et déclara d'un ton faussement jovial :

— Voilà le curé pour vous voir! Ça va aller mieux, maintenant!

Elle se retira tandis que le père Gorman entrait. La pièce, garnie à l'ancienne de meubles victoriens, était propre et bien rangée. La femme qui gisait sur le lit, près de la fenêtre, tourna la tête avec difficulté. Le prêtre comprit tout de suite qu'elle était au plus mal :

— Vous êtes venu... Je n'ai plus beaucoup de temps...

Le souffle entrecoupé, elle haletait :

— L'horreur... Une telle atrocité... Je dois... Je dois... Je ne peux pas mourir comme ça... Je dois confesser... confesser... mon péché... grave... très grave...

Son regard vacilla. Elle avait les yeux à moitié fermés.

Les mots se succédèrent sur ses lèvres, décousus, monotones.

Le père Gorman s'approcha du lit et se mit à lui parler comme il l'avait souvent fait — si souvent... Avec autorité, avec des paroles rassurantes, celles de son ministère et de sa foi. La paix se fit dans la chambre. La souffrance avait quitté le regard de la mourante.

Puis, comme le prêtre terminait son oraison, elle reprit :

— Arrêter... Il faut arrêter ça... Vous allez...

Avec autorité, le prêtre la rassura :

— Je ferai le nécessaire. Vous pouvez me faire confiance.

Un peu plus tard, un médecin et une ambulance arrivèrent ensemble. Mrs Coppins les accueillit, tristement triomphante :

— Trop tard, comme d'habitude ! Elle est morte.

★

Le père Gorman reprit la direction du presbytère dans la pénombre grandissante. Le brouillard menaçait, il épaississait rapidement. Le prêtre s'arrêta un moment, sourcils froncés. Quelle histoire fantastique ! Que devait-elle au délire et à la fièvre ? Il devait y avoir du vrai, bien sûr, mais dans quelle mesure ? Quoi qu'il en soit, il fallait absolument qu'il note quelques noms pendant qu'il les avait encore en mémoire. Mais la guilde de St François serait réunie chez lui quand il arriverait. Il bifurqua brusquement pour entrer dans un estaminet, s'assit et commanda un thé. Il fouilla dans la poche de sa soutane. Ah ! cette Mrs Geraghty... Il

29

lui avait demandé de recoudre sa doublure et, comme d'habitude, elle ne l'avait pas fait ! Son carnet, son crayon et les quelques pièces de monnaie qu'il avait toujours sur lui étaient tombés dans la doublure. Il arriva à attraper une pièce et le crayon, mais le carnet, c'était trop difficile.

Quand sa commande arriva, il demanda un morceau de papier.

— Ça vous va, ce truc-là ?

C'était un sac en papier froissé. Le père Gorman hocha la tête, le prit et se mit à écrire. Les noms — il fallait surtout se rappeler les noms. Et c'était justement ce qu'il avait tendance à oublier.

La porte de l'estaminet s'ouvrit, livrant passage à trois jeunes gens, vêtus comme à la belle époque et qui s'installèrent à grand bruit.

Le père Gorman termina sa liste. Il plia son morceau de papier et allait le fourrer dans sa poche lorsqu'il se souvint qu'elle était trouée. Il fit alors ce qu'il lui était déjà souvent arrivé de faire : il glissa le bout de papier dans sa chaussure.

Un individu entra et s'assit en silence dans un coin. Pour ne vexer personne, le père Gorman but encore quelques gorgées de son thé insipide, demanda combien il devait, paya et sortit.

L'homme qui venait d'entrer parut changer d'idée. Il regarda sa montre, comme s'il s'était trompé d'heure, se leva et sortit précipitamment.

Le brouillard se levait rapidement. Le père Gorman hâta le pas. Il connaissait bien son quartier. Il prit un raccourci, par une petite rue qui partait de la gare. Peut-être entendit-il des pas derrière lui mais sans y prêter attention. Pourquoi l'aurait-il fait ?

Le coup de matraque le prit complètement au dépourvu. Il pencha en avant, et s'écroula.

★

En sifflotant, le Dr Corrigan pénétra dans le bureau de l'inspecteur Lejeune et lui dit tout de go :

— J'en ai fini avec votre curé.

— Et alors ?

— Gardons les termes techniques pour le coroner. Il a été salement matraqué. Tué probablement du premier coup, mais on n'a pas voulu prendre de risque. Méchante affaire.

— Oui, reconnut Lejeune.

C'était un homme vigoureux, aux cheveux noirs et aux yeux gris. Son calme apparent pouvait induire en erreur, mais ses gestes, parfois étrangement expressifs, trahissaient ses origines françaises huguenotes. Il remarqua, songeur :

— Plus méchante que nécessaire pour un simple vol ?

— Parce que c'était un vol ? demanda le médecin.

— C'est ce qu'on suppose. Ses poches avaient été retournées et la doublure de sa soutane déchirée.

— Ils ne pouvaient pas espérer grand-chose, fit observer Corrigan. Ces curés, c'est pauvre comme rat d'église, en général.

— On lui a mis le crâne en bouillie pour plus de sécurité, déclara Lejeune, rêveur. J'aimerais bien savoir pourquoi.

— Il y a deux réponses possibles, répliqua Corrigan. La première : c'est l'œuvre d'un jeune voyou à l'esprit tordu, qui pratique la violence pour la violence. Ça court malheureusement les rues, à notre époque.

— Et la seconde ?

Le médecin haussa les épaules :

— Quelqu'un en voulait au père Gorman. Est-ce que c'est vraisemblable ?

— Tout ce qu'il y a d'invraisemblable, au contraire. Il était très populaire, très aimé dans le quartier. Pas d'ennemis, pour autant que l'on sache. Et le vol est tout aussi invraisemblable. À moins que...

— À moins que quoi ? demanda Corrigan. La police tient une piste ! J'ai raison, non ?

— Il avait sur lui quelque chose qu'on ne lui a pas pris. En fait, c'était dans sa chaussure.

Corrigan émit un sifflement :

— On dirait une histoire d'espionnage.

Lejeune sourit :

— C'est beaucoup plus simple que ça. Sa poche était trouée. Le sergent Pine a parlé à sa gouvernante. Apparemment, elle n'est pas très méticuleuse. Elle ne soignait pas ses vêtements comme il l'aurait fallu. Elle reconnaît qu'il arrivait au père Gorman de fourrer un papier ou une lettre dans sa chaussure pour l'empêcher de tomber au fond de la doublure de sa soutane.

— Et le meurtrier l'ignorait ?

— Ça ne lui sera pas venu à l'idée ! À supposer que ce soit bien ce bout de papelard qu'il cherchait, plutôt qu'une misérable poignée de pièces de monnaie.

— Il y avait quoi, sur ce papelard, comme vous dites ?

Lejeune fouilla dans son tiroir et en sortit un torchon de papier froissé :

— Simplement une liste de noms.

Corrigan l'examina avec curiosité.

> *Ormerod*
> *Sandford*
> *Parkinson*
> *Hesketh-Dubois*
> *Shaw*
> *Harmondsworth*
> *Tuckerton*
> *Corrigan ?*
> *Delafontaine ?*

Il haussa les sourcils :

— Bigre... je suis sur la liste !

— À part le vôtre, est-ce que l'un de ces noms vous dit quelque chose ? demanda l'inspecteur.

— Pas un seul.

— Et vous n'avez jamais rencontré le père Gorman ?

— Jamais.

— Dans ce cas, vous ne pourrez pas nous servir à grand-chose.

— Vous avez une idée de ce que cette liste signifie... si toutefois elle a une signification quelconque ?

Lejeune ne répondit pas directement :

— Un gosse est venu dans la soirée, vers 7 heures, chercher le père Gorman. Il lui a dit qu'une femme était mourante et désirait un prêtre. Le père Gorman est parti avec lui.

— Où ça ? Vous le savez ?

— Nous le savons. Ça n'a pas été long à vérifier. 23, Benthall Street. La propriétaire de la maison s'appelle Coppins. La mourante était une certaine Mrs Davis. Le prêtre est arrivé vers 7 heures un quart et est resté avec elle environ une demi-heure. Mrs Davis est morte juste avant que l'ambulance ne vienne la chercher pour l'emmener à l'hôpital.

— Je vois.

— Ensuite, nous avons appris que le père Gorman s'est arrêté au *Chez Tony*, un petit café-buvette. Minable mais parfaitement convenable, aucun délit à lui reprocher. Les consommations sont de qualité médiocre et la clientèle plutôt rare. Le père Gorman a demandé une tasse de thé. Puis, apparemment, il a fouillé dans sa poche, n'a pas trouvé ce qu'il voulait et a demandé au patron, Tony, un bout de papier. Et ça, fit-il en le désignant du doigt, c'est le bout de papier en question.

— Et alors ?

— Tony a vu le prêtre écrire quelque chose et partir peu après, sans avoir presque touché à son thé — ce dont je ne saurais le blâmer —, mais ayant fourré sa liste terminée dans sa chaussure.

— Il n'y avait personne d'autre dans le café ?

— Trois garçons du genre teddy-boy ont pris place à une table, et un homme d'un certain âge s'est assis à une autre. Ce dernier est parti sans commander.

— Il a suivi le prêtre?

— Ça se peut. Tony n'y a pas fait attention. Il n'a pas remarqué non plus de quoi il avait l'air. Me l'a décrit comme un homme sans caractère particulier. Comme il faut. Genre monsieur tout le monde. De taille moyenne, avec un manteau bleu foncé, ou peut-être marron. Pas très brun et pas très blond. Aucune raison qu'il ait quoi que ce soit à voir avec tout ça. Mais on ne sait jamais. Il n'est pas venu nous dire qu'il avait vu le prêtre dans la salle du *Chez Tony*, mais il est encore tôt. Nous avons demandé à quiconque aurait vu le père Gorman hier soir entre 8 heures moins le quart et 8 heures un quart de se mettre en rapport avec nous. Deux personnes seulement ont répondu à notre appel : une femme et un pharmacien, qui officie à côté. Je vais aller les voir tout à l'heure. Le corps a été découvert à 8 heures un quart, par deux gamins, dans West Street... vous connaissez? C'est quasiment une ruelle, bordée d'un côté par la voie de chemin de fer. Pour le reste... vous savez déjà tout.

Corrigan hocha la tête et tapota le morceau de papier :

— Qu'est-ce que vous en pensez?

— Je pense que c'est important, répondit Lejeune.

— La mourante lui aurait fait des révélations et il aurait noté ces noms aussi vite que possible, de peur de les oublier? Seulement... est-ce qu'il aurait agi comme ça si ces révélations avaient été faites sous le sceau de la confession?

— Elles n'ont pas forcément été faites sous le sceau du secret, rétorqua Lejeune. Imaginez, par exemple, que ces noms soient en rapport avec, mettons... un chantage.

— C'est l'idée que vous avez derrière la tête, n'est-ce pas?

— Je n'ai aucune idée pour l'instant. C'est une

simple hypothèse de travail. Ces gens font l'objet d'un chantage. La mourante était soit le maître chanteur, soit au courant du chantage. Les grandes lignes seraient : repentir, confession, désir de réparer dans toute la mesure du possible. Et le père Gorman en aurait endossé la responsabilité.

— Et alors ?

— Tout le reste n'est que conjectures, reprit Lejeune. Mettons que le racket était payant et que quelqu'un ne voulait pas le voir cesser. Ce quelqu'un savait que Mrs Davis était mourante et qu'elle avait envoyé chercher un prêtre. Le reste va de soi.

— Je me demande..., fit Corrigan qui examinait de nouveau la liste. À votre avis, que viennent faire ces points d'interrogation après les deux derniers noms ?

— Le père Gorman n'était peut-être pas sûr de se les rappeler avec exactitude.

— Au lieu de Corrigan, cela pourrait être Mulligan, reconnut le médecin en souriant. Ce serait assez vraisemblable. Mais un nom comme Delafontaine, ou bien vous vous en souvenez, ou bien vous ne vous en souvenez pas, si vous voyez ce que je veux dire. Bizarre qu'il n'y ait aucune adresse, ajouta-t-il en parcourant la liste encore une fois.

» Parkinson... il y a des tas de Parkinson. Sandford, ce n'est pas très rare... Hesketh-Dubois... quel nom à coucher dehors ! Il ne doit pas y en avoir des masses.

Saisi d'une impulsion, il se pencha sur le bureau pour attraper l'annuaire du téléphone :

— De E à L. Voyons voir. Hesketh, Mrs A... John & Cie, plombiers... Sir Isidore. Ah ! j'y suis ! Hesketh-Dubois, lady, 49, Ellesmere Square, S. W. 1. Et si on l'appelait ?

— Pour lui dire quoi ?

— L'inspiration viendra, répondit le Dr Corrigan avec désinvolture.

— Allez-y, dit Lejeune.

— Quoi ? s'exclama Corrigan, les yeux écarquillés.

— J'ai dit : allez-y, répéta doucement Lejeune. Ne prenez pas l'air si déconcerté.

Il décrocha lui-même le combiné :

— Donnez-moi une ligne extérieure.

Puis, revenant à Corrigan :

— C'est quoi, le numéro ?

— Grosvenor 64578.

Lejeune le composa, puis tendit le combiné à Corrigan :

— Amusez-vous.

Tandis qu'il attendait, Corrigan le regarda d'un air un peu stupéfait. La sonnerie se prolongea un moment avant que quelqu'un ne réponde. Enfin, une voix de femme, entrecoupée par une respiration difficile, déclara :

— Grosvenor 64578.

— Je suis bien chez lady Hesketh-Dubois ?

— Oui, oui... enfin... je veux dire...

Le Dr Corrigan ne tint pas compte de ces hésitations :

— Puis-je lui parler, s'il vous plaît ?

— Non, certainement pas ! Lady Hesketh-Dubois est morte en avril dernier.

— Oh !

Surpris, le Dr Corrigan ne répondit pas à la question : « Qui est à l'appareil ? » et remit le combiné en place.

Il lança un regard dépourvu d'aménité à l'inspecteur Lejeune :

— Alors, voilà pourquoi vous étiez si disposé à me laisser téléphoner.

Lejeune sourit avec malice :

— Nous vérifions tout, sans exception.

— En avril dernier..., répéta Corrigan, songeur. Il y a cinq mois. Cinq mois qu'elle est insensible au chantage, ou d'ailleurs à quoi que ce soit. Il ne s'agit pas d'un suicide ?

— Non. Elle est morte d'une tumeur au cerveau.

— Alors nous repartons de zéro, déclara Corrigan en reprenant la liste.

Lejeune soupira.

— En vérité, nous ne savons pas si cette liste a quoi que ce soit à voir avec l'affaire, fit-il observer. Il pourrait s'agir d'une vulgaire agression par nuit de brouillard... et, à moins d'un coup de veine, il y a peu d'espoir de retrouver le coupable.

— Vous voyez un inconvénient à ce que je continue à m'occuper de cette liste ?

— Faites donc. Et bonne chance !

— Ce qui signifie que, si vous n'êtes pas arrivé vous-même à un résultat, il est peu vraisemblable que je fasse mieux ? N'en soyez pas si sûr. Je vais me concentrer sur mon homonyme. Mr, Mrs ou miss Corrigan... avec un grand point d'interrogation.

3

— Vraiment, Mr Lejeune, je vois pas ce que je pourrais vous dire de plus ! J'ai déjà tout raconté à votre sergent. J'ignore qui était Mrs Davis et d'où elle venait. Elle était chez moi depuis environ six mois. Elle payait son loyer régulièrement et elle avait tout d'une personne très convenable, aimable et tranquille, et je ne sais pas ce que vous attendez encore de moi.

Mrs Coppins s'arrêta pour reprendre son souffle et regarda Lejeune d'un air réprobateur. Il lui renvoya le gentil sourire mélancolique dont il savait, par expérience, qu'il ne restait jamais sans effet.

— Non que je ne sois pas disposée à vous aider, si je peux, corrigea-t-elle.

— Merci. C'est justement d'aide dont nous avons besoin. Par instinct, les femmes en savent tellement plus que les hommes...

Le moyen était bon, il opéra.

— Ah! s'exclama Mrs Coppins. Je voudrais que Coppins soit encore là pour vous entendre. Il était tellement m'as-tu-vu et sans égards... « Toi, tu crois toujours tout savoir, alors que tu ne sais rien du tout! » qu'il me répétait toujours en ricanant. Pourtant, neuf fois sur dix, c'est moi qui avais raison.

— C'est bien pourquoi j'aimerais tant connaître votre opinion sur Mrs Davis. À votre avis, est-ce qu'elle était... malheureuse?

— Non, je dirais pas ça. Elle avait plutôt l'air toujours sur la brèche. Boulot-boulot. Méthodique. Comme si toute sa vie était planifiée et qu'elle se conformait à ce plan. Si j'ai bien compris, elle travaillait pour un institut de sondage. À courir les rues pour demander aux gens quelle sorte de savon en poudre ils utilisent, ou quelle farine, combien ils dépensent par semaine et à quel titre. Évidemment, j'ai toujours trouvé que c'était ni plus ni moins de l'espionnage, et pourquoi le gouvernement ou n'importe qui a besoin de savoir ça, ça me dépasse! Tout ce qu'on en tire à la fin, c'est ce que tout le monde sait depuis longtemps, mais c'est la mode aujourd'hui. Cela dit, Mrs Davis devait faire ça très bien. De façon agréable, sans curiosité malsaine, juste avec sérieux et précision.

— Vous ne connaissez pas le nom de l'association ou de l'institut qui l'employait?

— Non. Hélas, non.

— A-t-elle jamais fait allusion à sa famille?

— Non. J'ai cru comprendre qu'elle était veuve et qu'elle avait perdu son mari bien des années auparavant. C'était une espèce d'infirme ou d'invalide, mais elle n'en parlait presque jamais.

— Elle ne vous a jamais dit d'où elle venait? De quel coin du pays?

— Pas de Londres, en tout cas. De quelque part dans le Nord, je crois bien.

— Vous n'avez pas eu l'impression qu'il y avait chez elle quelque chose... ma foi... de mystérieux?

Lejeune éprouva soudain une crainte. Si cette femme était influençable... Mais Mrs Coppins ne se précipita pas sur l'ouverture qui lui était ainsi offerte :

— Eh bien, je ne peux vraiment pas dire ça. En tout cas pas dans ce qu'elle racontait. La seule chose qui m'avait un peu étonnée, c'était sa valise. De bonne qualité, mais pas neuve. Et les initiales avaient été refaites : J. D. Jessie Davis. Mais, à l'origine, cela avait été J... quelque chose d'autre. H, je pense. Remarquez, on peut toujours trouver des valises d'occasion bon marché, et il est normal alors de changer les initiales. Elle n'avait pas beaucoup de bagages... seulement cette valise.

Lejeune le savait déjà. Curieusement, la morte possédait très peu de chose. Pas de lettres, pas de photographies. Apparemment, pas de police d'assurance, pas de carnet de chèques non plus. Ses vêtements, de bonne qualité et destinés à un usage quotidien, étaient presque neufs.

— Elle avait l'air plutôt heureuse ? demanda-t-il.

— Oui, je suppose.

Il sauta sur le léger doute qui perçait dans sa voix :

— Vous le *supposez* seulement ?

— Ma foi, ce n'est pas le genre de choses auquel vous pensez, non ? Je dirais qu'elle était à l'aise, avec un emploi satisfaisant, et qu'elle était plutôt contente de sa vie. Elle n'était pas du type débordant de joie. Mais bien sûr, quand elle est tombée malade...

— Quand elle est tombée malade... ? répéta Lejeune pour l'encourager à continuer.

— Elle a été d'abord agacée. Quand elle s'est couchée avec la grippe, j'entends. Cela dérangeait tout son programme, c'est ce qu'elle a dit. Ça lui faisait rater des rendez-vous et tout. Mais la grippe, c'est la grippe, impossible de la mettre de côté. Alors elle est restée au lit, s'est fait du thé sur le réchaud à gaz et a pris de l'aspirine. Pourquoi ne pas appeler le docteur, je lui ai dit, mais elle m'a répondu que cela ne servirait à rien. Contre la grippe, il n'y a rien d'autre à faire que de rester au lit, bien au chaud, et je ferais mieux de ne pas m'approcher d'elle si je ne voulais pas l'attraper. Quand elle a été mieux, je lui ai fait un peu de cuisine. Et un gâteau de riz de temps en temps. Bien sûr, elle était un peu abattue, comme n'importe qui après une grippe, mais pas plus que la normale, à mon avis. En général, quand la fièvre tombe, on est déprimé, et elle l'était comme tout un chacun. Je me rappelle ce qu'elle a dit quand elle était assise près du feu : « Si seulement on n'avait pas tellement le temps de penser. Je déteste avoir le temps de penser. Ça me démoralise. »

Mrs Coppins était de plus en plus prise par son sujet et Lejeune l'écoutait avec attention.

— Je lui ai prêté des magazines, mais elle n'avait pas l'esprit à la lecture. Je me rappelle qu'elle m'a dit un jour : « Si les choses ne sont pas ce qu'elles devraient, mieux vaut n'en rien savoir, ce n'est pas votre avis ? » Et j'ai répondu : « Oh ! si, ça, c'est bien vrai, mon petit. » Alors elle m'a déclaré : « Je ne sais pas... Je n'ai jamais réussi à acquérir de *certitude*. » « Dans ce cas, c'est parfait », je lui ai répondu. Et elle a répliqué : « J'ai toujours agi honnêtement et cartes sur table. Je n'ai rien à me reprocher. » « Bien sûr que non, mon petit », que je lui ai dit. Mais en moi-même, je me suis demandé si, dans l'entreprise qui l'employait, elle n'avait pas eu vent par hasard de quelques micmacs avec la comptabilité ou autre, mais qu'elle avait jugé que ça ne la regardait pas.

— C'est possible, reconnut Lejeune.

— Quoi qu'il en soit, elle s'est rétablie — enfin, à peu près, et elle est retournée au travail. Je lui ai dit que c'était trop tôt. J'ai insisté pour qu'elle s'accorde encore un jour ou deux. Et j'avais bigrement raison. Le lendemain soir, quand elle est rentrée, j'ai vu tout de suite qu'elle avait une forte fièvre. Elle pouvait à peine monter l'escalier. Il faut appeler un docteur, je lui ai dit, mais non, elle ne voulait rien savoir. Toute la journée, son état n'a fait qu'empirer, elle avait les yeux vitreux, les joues en feu, et une respiration abominable. Et le lendemain soir elle m'a dit, et elle avait beaucoup de mal à sortir les mots : « Un prêtre... Je veux un prêtre. Très vite... ou ce sera trop tard. » Mais elle ne voulait pas de notre pasteur. Il fallait que ce soit un prêtre catholique romain. Je ne savais même pas qu'elle était catholique romaine, elle n'avait pas de crucifix ni rien de ce genre.

Si, il y avait un crucifix enfoui au fond de sa valise. Mais Lejeune n'en souffla mot. Il écoutait.

— J'ai aperçu le jeune Mike dans la rue et je l'ai envoyé chercher le père Gorman à St Dominique. Et puis, de mon propre chef, j'ai appelé le médecin et l'hôpital, sans lui en parler.

— Quand le prêtre est arrivé, vous l'avez conduit dans sa chambre ?

— Oui, et je les ai laissés ensemble.

— Est-ce qu'ils ont dit quelque chose ?

— Ma foi, je ne m'en souviens pas très bien. C'est moi qui parlais, je lui ai dit voilà le prêtre, tout va bien se passer à présent — pour essayer de la réconforter, quoi ! —, mais je me rappelle maintenant que je l'ai entendue parler d'horreurs, d'atrocités... Oui, et aussi de cheval — de courses de chevaux peut-être bien. Moi-même, j'aime assez jouer une demi-couronne de temps en temps mais, d'après ce qu'on raconte, il y a pas mal de magouilles aussi dans les courses...

— D'atrocités..., répéta Lejeune.

Le mot l'avait frappé.

— Ces catholiques, ils sont bien obligés de confesser leurs péchés avant de mourir, non ? Je suppose que c'était ce qu'elle voulait faire.

Lejeune n'en doutait pas, mais il avait l'esprit troublé par le mot employé. Atrocités...

Une espèce vraiment particulière d'atrocités,

réfléchissait-il, pour qu'une fois mis au courant, le prêtre ait été suivi et frappé à mort.

★

Les trois autres locataires de la maison ne lui apprirent rien de plus. Deux d'entre eux, un employé de banque et un homme d'un certain âge qui travaillait dans une boutique de chaussures, étaient là depuis plusieurs années. La troisième, une fille de vingt-deux ans arrivée récemment, était employée dans un grand magasin voisin. Ils ne connaissaient tous Mrs Davis que vaguement, pour l'avoir croisée entre deux portes.

La femme qui avait déclaré avoir remarqué le père Gorman dans la rue ce soir-là n'avait aucun renseignement valable à fournir. Catholique, elle fréquentait St Dominique et connaissait le père Gorman de vue. Elle l'avait aperçu qui quittait Benthall Street pour entrer au *Chez Tony* à 8 heures moins 10 environ. Rien d'autre.

Mr Osborne, le propriétaire de la pharmacie du coin de Barton Street, en avait plus à raconter. C'était un homme entre deux âges, de petite taille, au crâne chauve, à la bonne bouille ronde et candide, qui portait lunettes :

— Bonsoir, inspecteur. Venez derrière, voulez-vous ?

Il souleva l'abattant de son vieux comptoir. Lejeune se glissa de l'autre côté puis, après avoir traversé un recoin où un laborantin en blouse blanche préparait des flacons de médicaments avec la rapidité d'un prestidigitateur, il passa sous une voûte et pénétra dans une pièce minuscule, meublée de deux fauteuils, d'une table et d'un bureau. Mr Osborne tira derrière lui, avec des mines de conspirateur, le rideau qui fermait la voûte, se carra dans un fauteuil et fit signe à Lejeune de s'installer dans l'autre. Puis il se pencha vers lui, les yeux brillant d'excitation :

— Il se trouve que je peux peut-être vous aider.

42

La soirée était calme, il n'y avait pas grand-chose à faire étant donné le temps. Mon employée était derrière le comptoir. Le jeudi, nous restons toujours ouverts jusqu'à 8 heures. Le brouillard s'était levé et il ne passait pas grand monde. J'étais allé à la porte regarder le temps qu'il faisait et je me disais en moi-même que le brouillard épaississait bien vite. On nous l'avait annoncé au bulletin météorologique. Je suis resté là un moment — il ne se passait rien qui fût hors de la compétence de ma vendeuse : crèmes pour le visage, sels de bain et autres. Tout à coup, j'ai vu le père Gorman qui arrivait de l'autre côté de la rue. Je le connaissais parfaitement de vue, bien entendu. Quel scandale, ce meurtre ! Attaquer un homme pareil, si estimé...
« Voilà le père Gorman », je me suis dit. Il allait dans la direction de West Street, la première à gauche avant la voie de chemin de fer, comme vous savez. À quelques mètres derrière lui, il y avait un autre homme. Il ne me serait pas venu à l'idée d'en penser quoi que ce soit si, brusquement, ce deuxième homme ne s'était pas arrêté — comme ça, tout soudain, en arrivant à ma hauteur. Je me demandais pourquoi quand j'ai remarqué que, devant, le père Gorman avait ralenti le pas. Lui, il ne s'était pas réellement arrêté. C'était plutôt comme s'il était tellement absorbé dans ses pensées qu'il avait oublié qu'il marchait. Puis il s'est remis en route, et l'autre homme s'est remis à marcher lui aussi, assez vite. Je me suis dit, dans la mesure où je me suis dit quelque chose, qu'il connaissait peut-être le père Gorman et qu'il voulait le rattraper pour lui parler.

— En fait, il pouvait très bien être en train de le suivre ?

— Bien que je n'aie pensé à rien sur le moment, je suis maintenant sûr que c'était le cas. Mais avec le brouillard qui s'installait, je les ai tout de suite perdus de vue, tous les deux.

— Cet homme, vous pourriez me le décrire ?

Lejeune avait posé la question sans trop d'espoir. Il s'attendait, comme d'habitude, à une description passe-partout. Mais Mr Osborne n'était pas fait du même bois que le Tony de *Chez Tony*.

— Ma foi, je pense que oui, répondit-il avec suffisance. Il était grand...

— Grand? Grand comment?

— Eh bien, 1,80 mètre au bas mot, à mon humble avis. Cela dit, comme il était très maigre, ça lui donnait peut-être l'air plus grand qu'il n'était en réalité. Avec des épaules tombantes et une pomme d'Adam proéminente. Des cheveux assez longs sous son feutre. Un nez en bec d'aigle qu'on ne pouvait pas ne pas remarquer. Je ne peux évidemment pas vous donner la couleur de ses yeux, étant donné que je le voyais de profil. Quant à son âge, environ cinquante ans, à en juger d'après sa démarche. Les jeunes marchent très différemment.

Lejeune parcourut en pensée, et non sans étonnement, la distance qui séparait Mr Osborne de l'autre côté de la rue, aller et retour. Non sans un très grand étonnement.

Une description, telle que celle que lui avait faite le pharmacien, ne pouvait signifier que deux choses. Elle pouvait être le fruit d'une imagination fertile — il en avait connu maints exemples, surtout chez les femmes, qui se créent de toutes pièces le portrait du meurtrier tel qu'il devrait être. Mais ces portraits comportent d'habitude des détails qui sonnent faux. Des yeux qui roulent, par exemple, ou des sourcils broussailleux, des mâchoires de prognathe, des gémissements féroces... La description de Mr Osborne donnait au contraire une impression de vérité. Et dans ce cas, il avait peut-être affaire à un témoin comme on n'en trouve qu'un sur un million, capable d'observations précises et détaillées, et inébranlable quant à ce qu'il a vu.

Lejeune visualisa de nouveau en pensée la

distance qui séparait Osborne du trottoir d'en face et posa sur le pharmacien un regard songeur :

— Vous croyez que vous pourriez le reconnaître, cet homme, si vous vous trouviez de nouveau en face de lui ?

— Oh ! oui, répondit Mr Osborne avec une parfaite assurance. Je n'oublie jamais un visage. C'est un de mes dadas. J'ai toujours dit que je pourrais reconnaître sous la foi du serment, devant un tribunal, celui qui m'aurait acheté un joli petit paquet d'arsenic pour assassiner sa femme. J'ai toujours rêvé que quelque chose de ce genre m'arrive un jour.

— Mais ça ne s'est encore jamais produit ?

Mr Osborne en convint tristement.

— Et cela ne risque plus guère de se produire, ajouta-t-il, mélancolique. Je suis en train de céder mon fonds de commerce. On m'en offre une somme rondelette, alors je vais me retirer à Bournemouth.

— C'est une belle affaire que vous avez là.

— Elle a de la classe, remarqua Osborne non sans une certaine fierté. Voilà près de cent ans que nous sommes établis ici. Mon grand-père et mon père ont été là avant moi. C'est une bonne vieille affaire familiale. Remarquez, ce n'est pas comme ça que je la voyais quand j'étais gosse. Je la trouvais plutôt étouffante. Comme la plupart de mes copains, j'étais un mordu de théâtre. J'étais convaincu d'être capable de jouer. Mon père n'a pas essayé de m'en empêcher. « Vois ce que tu peux faire, mon garçon, m'a-t-il dit. Tu t'apercevras bien vite que tu n'as rien d'un Henry Irving. » Comme il avait raison ! C'était un sage, mon père. Après dix-huit mois de tournée j'étais de retour à la pharmacie. Et j'en suis fier. Nous avons toujours eu de la bonne et saine marchandise. Vieux jeu, mais de qualité. De nos jours, malheureusement, ajouta-t-il en secouant tristement la tête, le métier est devenu très décevant. Tous ces articles de toilette... Vous êtes bien obligés de les avoir. La moitié du bénéfice provient de ces cochonneries. Poudre, rouge à lèvres, crèmes pour le visage... sans compter les shampoings et les sacs à éponge fantaisie. Pour ma part, je n'y touche pas. J'ai une employée qui s'occupe de tout ça. Oui, le métier de pharmacien a bien changé. Quoi qu'il en soit, j'ai mis de l'argent de côté, je vais vendre la pharmacie un bon prix, et j'ai déjà versé un acompte sur un joli petit pavillon, près de Bournemouth.

» Retirez-vous tant que vous êtes encore capable de jouir de la vie, telle est ma devise, ajouta-t-il. J'ai un tas de dadas : les papillons, par exemple. Et, de temps à autre, l'observation des oiseaux. Et aussi le jardinage. Il ne manque pas de bons livres qui vous expliquent comment vous y prendre pour démarrer un jardin. Et puis il y a les voyages. Je pourrai partir en croisière... aller à l'étranger avant qu'il ne soit trop tard.

Lejeune se leva.

— Eh bien, je vous souhaite bonne chance, dit-il. Et si jamais, avant de partir, vous tombiez sur cet homme...

— Je vous le ferais savoir aussitôt, inspecteur Lejeune, bien entendu. Vous pouvez compter sur moi. Ce sera avec plaisir. Comme je vous l'ai dit, je suis très physionomiste. Je resterai aux aguets. Sur le qui-vive comme on dit. Oh ! oui. Vous pouvez me faire confiance. Ce sera un plaisir pour moi.

4

RÉCIT DE MARK EASTERBROOK

Je sortis de l'Old Vic, flanqué de mon amie Hermia Redcliffe. Nous étions allés voir une représentation de *Macbeth*. Il pleuvait des cordes. Tandis que nous traversions la rue pour retrouver l'endroit où j'avais garé ma voiture, Hermia remarqua avec une totale injustice que, chaque fois qu'on allait à l'Old Vic, il pleuvait invariablement des cordes :

— Dieu sait pourquoi, mais c'est comme ça.

Je n'étais pas d'accord. Je répliquai que, contrairement aux cadrans solaires, elle n'indiquait que les heures de pluie.

— Alors qu'à Glyndebourne, poursuivit Hermia tandis que j'embrayais, j'ai toujours eu de la chance. Pour moi, c'est l'image de la perfection : la musique et les merveilleux parterres de fleurs, le parterre de fleurs blanches en particulier...

Nous parlâmes un moment de Glyndebourne et de sa musique, puis Hermia demanda :

— Nous n'allons pas prendre le petit déjeuner à Douvres, si ?

— Douvres ? Quelle idée ! Je pensais aller souper au *Fantaisie*. Après les sanglantes splendeurs de *Macbeth*, il me paraît nécessaire de bien boire et de bien manger. Shakespeare me donne toujours une faim de loup.

— Moi, c'est Wagner. À Covent Garden, les sandwichs au saumon fumé de l'entracte ne suffisent jamais à apaiser mes tiraillements d'estomac. Quant à Douvres, si je vous ai posé la question, c'est parce que vous roulez dans sa direction.

— C'est parce qu'il faut bien trouver l'endroit où tourner.

— Mais vous avez depuis longtemps dépassé le carrefour. Vous êtes bel et bien sur ce brave vieux — ou est-ce ce flambant neuf ? — Kent Road.

Après avoir regardé les alentours, je dus convenir que, comme d'habitude, Hermia avait raison.

— Je m'embrouille toujours ici, alléguai-je en guise d'excuse.

— J'avoue qu'il est difficile de s'y reconnaître, m'accorda Hermia. Tourner trente-six fois autour de Waterloo Station...

Après avoir enfin réussi à obliquer sur le Westminster Bridge, nous reprîmes notre discussion à propos de la représentation de *Macbeth* que nous venions de voir. Mon amie Hermia Redcliffe était une belle jeune femme de vingt-huit ans. De la trempe dont on fait les héroïnes, elle avait un profil grec quasiment sans défaut et une masse de cheveux châtain foncé enroulés sur la nuque. Ma sœur parlait toujours d'elle comme de « la petite amie de Mark », avec des guillemets dans l'intonation qui m'agaçaient prodigieusement.

Au *Fantaisie*, on nous accueillit avec chaleur et on nous installa à une petite table, contre le mur de velours cramoisi. Le *Fantaisie* est un endroit très fréquenté et les tables sont serrées les unes contre les autres. Nos voisins de table nous saluèrent cordialement. David Ardingly était maître-assistant d'histoire à Oxford. Il me présenta sa compagne, renversante jeune femme à la coiffure sophistiquée et dont les cheveux se dressaient sur la tête selon les angles les plus improbables. Si bizarre que cela puisse paraître, ça lui allait bien. Elle avait de gigantesques yeux bleus et la bouche généralement entrouverte. Elle était — comme toutes les conquêtes de David avaient réputation de l'être — remarquablement stupide. David, jeune homme brillantissime, ne pouvait se détendre qu'en la compagnie d'absolues demeurées.

— Voilà Poppy, mon dernier jouet, ma peluche préférée, expliqua-t-il. Poppy, je te présente Mark et Hermia. Ce sont des intellectuels éminemment sérieux, voire sourcilleux. Tu dois essayer de te montrer à la hauteur. Nous sortons juste de *Pan, dans la lune!* Un spectacle exquis! Vous deux, je parie que vous arrivez tout droit de Shakespeare, ou d'une reprise d'Ibsen.

— De *Macbeth*, à l'Old Vic, répondit Hermia.

— Ah! Et comment vous avez trouvé la mise en scène de Batterson?

— J'ai beaucoup aimé, dit Hermia. L'éclairage était très intéressant. Et je n'avais jamais vu la scène du banquet si bien réalisée.

— Ah... et les sorcières?

— Exécrables, répliqua Hermia. Mais elles le sont toujours, ajouta-t-elle.

David l'approuva :

— Il s'y glisse invariablement un côté pantomime de Noël. Elles ne peuvent pas s'empêcher de gambader, de jouer les Belzébuth, seigneur des Enfers en triple exemplaire. Si bien qu'on s'attend à voir apparaître une bonne fée, en robe blanche à paillettes, qui récitera d'un ton laborieux :

> *Votre méchanceté point ne triomphera,*
> *C'est Macbeth qui finira par devenir fada.*

Nous nous mîmes tous à rire, mais David, à qui on ne pouvait rien cacher, me lança un regard perçant :

— Qu'est-ce que tu nous couves?

— Rien, rien. C'est juste que je pensais l'autre jour au Mal et aux Seigneurs des Enfers dans les pantomimes de Noël. Oui... et aussi aux bonnes fées.

— À quelle occasion?

— Oh! dans un bistrot de Chelsea.

— Ce que tu peux être à la page, Mark! À Chelsea! Là où les héritières en collant épousent des malfrats soucieux d'assurer leurs fins de mois. Voilà où devrait aller Poppy, n'est-ce pas, mon canard?

Poppy ouvrit plus grand encore ses yeux énormes.

— Je déteste Chelsea, protesta-t-elle. Je préfère de loin le *Fantaisie*. On y mange tellement, tellement bien!

— Tant mieux pour toi, Poppy. De toute façon, tu n'es pas assez riche pour Chelsea. Parle-nous encore de *Macbeth*, Mark, et de ces exécrables sorcières. Moi, je sais bien comment je les mettrais en scène, si on m'appelait à la rescousse.

— Ah oui, et comment?

— J'en ferais des personnages très ordinaires. De bonnes vieilles matoises et patelines. Comme les sorcières de village.

— Mais de nos jours, ça n'existe plus, les sorcières ! s'indigna Poppy en le fusillant du regard.

— Tu dis ça parce que tu es londonienne. Mais il subsiste encore une sorcière dans chaque hameau d'Angleterre. La vieille Mrs Black, celle qui habite la troisième maison sur la colline, par exemple. On apprend aux petits garçons à ne pas l'ennuyer, et on lui offre de temps à autre des œufs ou des gâteaux faits maison. Parce que, ajouta-t-il en agitant un doigt menaçant, si vous la contrariez, vos vaches ne donneront plus de lait, votre récolte de pommes de terre sera perdue, ou le petit Johnnie se tordra la cheville. Il faut rester bien avec la vieille Mrs Black. On ne le crie pas sur les toits, mais tout le monde le sait !

— Tu plaisantes, fit Poppy avec une moue.

— Pas du tout. J'ai raison, n'est-ce pas, Mark ?

— Ces superstitions sont sûrement toutes mortes avec l'éducation, déclara Hermia, sceptique.

— Pas dans les zones rurales. Qu'est-ce que tu en penses, Mark ?

— Je pense que tu n'as peut-être pas tort, répondis-je en réfléchissant. Mais en vérité, je n'en sais trop rien. Je n'ai jamais beaucoup vécu à la campagne.

— Je ne vois pas comment vous pourriez représenter des sorcières comme des vieilles ordinaires, remarqua Hermia, revenant à ce que David avait dit un peu plus tôt. Il faut quand même qu'elles aient une espèce d'aura surnaturelle.

— Oh ! mais réfléchissez un instant, repartit David. C'est comme la folie. Quelqu'un qui divague et qui se promène en titubant, avec de la paille plein les cheveux et l'air complètement égaré, ça n'est pas le moins du monde effrayant. Mais je me rappelle être allé une fois dans un asile d'aliénés pour transmettre un message à un médecin, et on m'avait fait attendre dans une salle où se trouvait une charmante vieille dame en train de siroter un verre de lait. Elle a fait quelques remarques banales à propos du temps et puis, tout à coup, elle s'est penchée vers moi et m'a demandé à voix basse : « C'est votre malheureuse enfant qui est enterrée là, derrière la cheminée ? » Puis elle a hoché la tête et a ajouté : « 20 h 10 pile. C'est tous les jours à la même heure. Faites semblant de ne pas remarquer le sang. » C'est sa façon tellement naturelle de parler qui m'a donné froid dans le dos.

— Est-ce que quelqu'un était *vraiment* enterré derrière la cheminée ? voulut savoir Poppy.

David l'ignora et poursuivit :

— Prenez les médiums, si vous préférez. À l'heure dite, les voilà en transes, dans des pièces obscures où l'on entend des coups frappés sur un guéridon. La minute d'après, le médium se redresse, se tapote les cheveux et rentre chez elle ingurgiter un steak frites comme toute brave bourgeoise normalement constituée.

— Ainsi, tes sorcières, dis-je, tu les vois comme trois vieilles biques écossaises dotées du don de double vue, qui pratiquent leur art en douce, marmonnant des formules magiques autour d'un chaudron et évoquant les esprits, mais demeurant un banal trio de vieilles biques. Oui... ça pourrait faire de l'effet.

— Si vous arrivez jamais à obtenir des acteurs qu'ils jouent de cette façon-là, remarqua Hermia, ironique.

— Vous soulevez là le lièvre, reconnut David. À la moindre allusion de folie dans le scénario, les acteurs s'en donnent aussitôt à cœur joie. Idem pour les morts subites. Aucun d'eux n'est capable de se trouver mal et de tomber seulement par terre, foudroyé. Il faut qu'il grogne, qu'il chancelle, qu'il roule des yeux, qu'il suffoque, qu'il s'étreigne le cœur, qu'il se prenne la tête et en fasse tout un numéro. À propos de numéro, que pensez-vous de l'interprétation de Macbeth par Fielding? Les critiques sont très partagés.

— Je l'ai trouvé formidable, répondit Hermia. Cette scène avec le médecin après l'épisode de somnambulisme, par exemple. Quand il dit « tu ne peux donc pas traiter un esprit malade », il est clair — et je n'y avais jamais pensé jusque-là — qu'en fait, il ordonne au médecin de tuer sa femme. Et pourtant, il l'aime. Il met en évidence sa lutte entre ses craintes et son amour. Son « elle devait bien mourir un jour » est la réplique la plus poignante que j'aie jamais entendue.

— Shakespeare serait quelque peu surpris s'il voyait comment on représente ses pièces aujourd'hui, ironisai-je.

— Burbage et compagnie devaient déjà avoir étouffé une bonne partie de son esprit, j'imagine.

— C'est l'étonnement toujours renouvelé de l'auteur devant ce que le metteur en scène fait de lui, murmura Hermia.

— Est-ce que ce n'est pas, en réalité, un certain Bacon qui a écrit les pièces de Shakespeare? demanda Poppy.

— Cette théorie est complètement abandonnée aujourd'hui, répondit gentiment David. Et, d'après toi, qui est Bacon?

— Il a inventé la poudre à canon, répliqua triomphalement Poppy.

David nous regarda :

— Vous voyez pourquoi j'adore cette fille? Elle a toujours des connaissances tellement inattendues. Nous parlions de Francis, pas de Roger, mon amour.

— J'ai trouvé très intéressant, signala Hermia, que Fielding joue le rôle du Troisième Meurtrier. C'est une première?

— Il me semble, répondit David. En tout cas, c'était bien pratique, dans ce bon vieux temps, d'avoir un tueur sous la main quand on avait une petite corvée à lui faire exécuter. Ce serait drôle si ça existait encore.

— Mais ça existe encore ! protesta Hermia. Les gangsters. Les truands, ou quel que soit le nom qu'on leur donne. Chicago et tout le tremblement.

— Ah ! répliqua David. Je ne pensais ni aux gangsters, ni aux racketteurs, ni aux barons du crime. Juste à un bonhomme ordinaire qui désirerait se débarrasser de quelqu'un. D'un concurrent en affaires ; de la tante Emily, si riche et qui se cramponne à la vie ; de ce mari encombrant toujours fourré dans vos pattes. Ce serait tellement pratique si on pouvait téléphoner aux Grands Magasins et demander : « S'il vous plaît, pourriez-vous m'envoyer deux bons tueurs ? »

Nous nous mîmes tous à rire.

— Mais dans un sens, on peut toujours le faire, non ? remarqua Poppy.

Nous nous tournâmes tous vers elle.

— Dans quel sens, Poppinette ? s'enquit David.

— Eh bien, les gens peuvent toujours le faire s'ils le veulent... les gens dans notre genre, comme tu dis. Seulement, je pense que c'est hors de prix.

Les grands yeux de Poppy exprimaient l'ingénuité même, et sa bouche était entrouverte.

— Qu'est-ce que tu veux dire au juste ? demanda David, curieux.

Poppy eut l'air gênée :

— Oh ! je crois bien que... que j'ai tout mélangé. Je pensais au *Cheval pâle*. Ce genre de choses.

— Un *Cheval pâle* ? Quelle espèce de Cheval pâle ?

Poppy rougit et baissa les paupières :

— Je suis une gourde. C'est juste un truc que quelqu'un m'a dit... mais j'ai dû comprendre de travers.

— Prends donc une bonne petite coupe Nesselrode, lui proposa gentiment David.

★

Étrangement, comme nous le savons tous, lorsque nous entendons parler de quelque chose, presque toujours nous en entendons de nouveau parler dans les vingt-quatre heures qui suivent. J'en eus un exemple le lendemain matin.

Je répondis au téléphone qui sonnait :

— Flaxman 73841, oui, j'écoute.

J'entendis une espèce de respiration entrecoupée. Puis la voix, hors d'haleine, me lança d'un ton de défi :

— J'y ai réfléchi et j'irai !

Je me creusai la tête à toute vitesse.

— Épatant ! répliquai-je, cherchant à gagner du temps. Euh... est-ce que...

— Après tout, reprit la voix, la foudre ne frappe jamais deux fois.

— Vous êtes sûre d'avoir fait le bon numéro ?

— Évidemment. Vous êtes bien Mark Easter-brook, n'est-ce pas ?

— J'y suis ! m'exclamai-je. Mrs Oliver.

— Oh ! fit-elle, surprise. Vous ne m'aviez pas reconnue ? Ça ne m'était pas venu à l'idée. C'est à propos de la fête de Rhoda. J'irai signer des livres si elle le désire.

— C'est terriblement gentil de votre part. Ils s'occuperont de vous loger, bien entendu.

— Il n'y aura pas de réception, n'est-ce pas ? demanda Mrs Oliver, anxieuse. Vous savez ce que je veux dire, poursuivit-elle. Quand les gens viennent me demander si j'écris quelque chose en ce moment, alors qu'ils voient bien que je suis en train de boire une bière ou un jus de tomate et pas en train d'écrire quoi que ce soit. Et me dire qu'ils aiment mes livres, ce qui est très agréable, évidemment, mais je ne sais jamais quoi répondre à ça. Si vous répliquez : « j'en suis très heureuse », ça sonne comme « enchantée de faire votre connaissance ». Une de ces phrases toutes faites... C'est bien ce que c'est, d'ailleurs. Et vous ne pensez pas qu'ils vont vouloir m'emmener prendre un verre au *Cheval Rose* ?

— Le *Cheval Rose* ?

— Enfin le *Cheval pâle*. Un pub, je veux dire. Je ne suis pas à l'aise, dans les pubs. Je peux à la rigueur prendre une bière, mais, ça me donne des gargouillements terribles.

— À quoi pensez-vous au juste, quand vous parlez du *Cheval pâle* ?

— Il y a un pub qui s'appelle comme ça, là-bas, non ? À moins que ce ne soit le *Cheval Rose* ? Ou un autre nom encore. Mais j'ai très bien pu l'imaginer. Ce n'est pas l'imagination qui me manque.

— Comment va le cacatoès ?

— Le cacatoès ? répéta Mrs Oliver, complètement égarée.

— Et la balle de cricket ?

— Vraiment, répliqua dignement Mrs Oliver, ou vous avez perdu la tête, ou vous avez la migraine ou quelque chose d'approchant. Des chevaux roses, des cacatoès et maintenant des balles de cricket !

Elle raccrocha.

J'étais encore en train de réfléchir à cette seconde allusion au *Cheval pâle* quand mon téléphone sonna de nouveau.

Cette fois, c'était Mr Soames White, un distingué notaire qui voulait me rappeler que, selon le testament de ma marraine, lady Hesketh-Dubois, j'avais le droit de choisir trois de ses tableaux.

— Il n'y a rien de grande valeur, bien sûr, ajouta Mr Soames White de son ton défaitiste et mélancolique. Mais j'ai cru comprendre qu'à un moment donné vous aviez exprimé de l'admiration pour certaines toiles de la défunte.

— Elle possédait quelques charmantes aquarelles de scènes indiennes, répondis-je. Je crois que vous m'avez déjà écrit à ce sujet, mais j'ai bien peur de l'avoir oublié.

— Exactement, dit Mr Soames White. Mais maintenant le testament a été homologué, et les exécuteurs, dont je suis, ont organisé une vente du contenu de sa maison de Londres. Si vous pouviez passer à Ellesmere Square le plus vite possible...

— J'y vais à l'instant même.

La matinée ne paraissait pas propice au travail.

★

Les trois aquarelles que j'avais choisies sous le bras, je sortais du 49, Ellesmere Square quand je me heurtai à quelqu'un qui grimpait le perron. Je m'excusai, reçus des excuses en retour, et j'allais héler un taxi en maraude quand il se fit un déclic dans ma tête. Je me retournai vivement :

— Dites-moi... vous ne seriez pas Corrigan ?

— Si, mais... et vous... Mark Easterbrook ?

Jim Corrigan et moi nous avions été intimes à l'époque d'Oxford, mais cela devait faire quinze ans au bas mot que nous nous étions perdus de vue.

— Je savais que je te connaissais, mais je n'arrivais pas à te situer, remarqua Corrigan. Je lis tes articles de temps en temps, avec beaucoup de plaisir je l'avoue.

— Et toi ? Tu fais ce que tu voulais, de la recherche ?

Corrigan soupira :

— C'est beaucoup dire. Cela revient très cher si tu veux ramer tout seul. À moins de se dénicher un associé millionnaire, ou une société d'investissement influençable...

— La douve du foie, c'est bien ça ?

— Quelle mémoire ! Non, j'ai abandonné la douve du foie. Aujourd'hui, je m'intéresse aux sécrétions des glandes de Mandarian. Tu n'en as sans doute jamais entendu parler ! Elles ont un rapport avec l'humeur noire et ne servent apparemment à rien !

Il était pris soudain de l'enthousiasme du scientifique.

— Alors, où est l'intérêt ?

— Eh bien, répliqua Corrigan d'un ton d'excuse, j'ai une théorie. Je pense qu'elles peuvent influencer le comportement. Très grossièrement, elles pourraient agir comme le lubrifiant sur les freins de ta voiture. Pas de lubrifiant et tes freins ne fonctionnent pas. Chez l'homme, une déficience de ces sécrétions pourrait — je dis bien *pourrait* — faire de lui un criminel.

J'émis un petit sifflement :

— Et que devient le péché originel, dans tout ça ?

— Que devient-il en effet ? répéta le Dr Corrigan. Tu crois que ça risque de déplaire à notre clergé ? Malheureusement, je n'ai trouvé personne pour s'intéresser à ma théorie. Je suis donc devenu médecin attaché à la police du quartier nord-ouest. C'est passionnant. On rencontre une variété incroyable de criminels. Mais je ne veux pas t'ennuyer en parlant boutique... à moins que tu ne sois disposé à déjeuner avec moi ?

— Ce serait avec plaisir. Mais tu voulais sans doute faire quelque chose là, dis-je en désignant la maison d'un signe de tête.

— Pas vraiment, répondit Corrigan. Je venais, à tout hasard, essayer de m'introduire en douce.

— Il n'y a personne, sauf un gardien.

— C'est bien ce que je pensais. Mais j'espérais obtenir si possible des renseignements sur feu lady Hesketh-Dubois.

— Je peux t'en dire plus sur son compte que n'importe quel gardien. C'était ma marraine.

— Vraiment ? Ça, c'est un coup de veine. Où allons-nous nous sustenter ? Il y a un petit restaurant du côté de Lowndes Square. Le décor ne casse rien, mais ils font une merveilleuse soupe de fruits de mer.

Nous nous installâmes dans le petit restaurant en question. Un garçon blafard, en pantalon de marin français, nous apporta une marmite de soupe fumante.

— Délicieuse, dis-je après l'avoir goûtée. Alors, Corrigan, qu'est-ce que tu veux savoir à propos de la vieille rombière ? Et incidemment, pourquoi ?

— Ma foi, c'est une assez longue histoire, déclara mon ami. Mais d'abord, dis-moi quelle sorte de femme elle était ?

— Plutôt vieux jeu, répondis-je. Victorienne. Veuve de l'ex-gouverneur d'une île quelconque dont personne n'a entendu parler. Partait pour l'étranger en hiver, dans des endroits genre Estoril. Sa maison est hideuse, bourrée de meubles victoriens et de la pire argenterie victorienne tarabiscotée. Elle n'a pas eu d'enfants mais elle entretenait deux caniches nains — assez bien éduqués, ma foi — qu'elle adorait. Elle avait des opinions arrêtées, c'était une conservatrice indéfectible. Bonne pâte, mais autocratique. Toujours sûre d'avoir raison. Qu'est-ce que tu veux savoir encore ?

— Je ne sais pas trop, dit Corrigan. Est-ce qu'à ton avis elle aurait pu être l'objet d'un chantage ?

— D'un chantage ? répétai-je, stupéfait. Je ne peux rien imaginer de plus invraisemblable. Mais de quoi s'agit-il ?

C'est alors que j'entendis parler pour la première fois du meurtre du père Gorman. Je posai ma cuillère et demandai :

— Cette liste de noms, tu l'as sur toi ?

— Pas l'original. Mais je les ai recopiés. Les voilà.

Je m'emparai du papier qu'il avait sorti de sa poche et me mis à l'étudier.

— Parkinson ? Je connais deux Parkinson. Arthur, qui est entré dans la marine. Et puis il y a un Henry Parkinson dans un ministère. Ormerod... Je connais un commandant Ormerod dans l'Armée. Sandford... quand j'étais gosse, j'ai eu un vieux proviseur qui s'appelait Sandford. Harmondsworth ? Non. Tuckerton... Tuckerton... Quand même pas Thomasina Tuckerton ?

Corrigan me dévisagea :

— Cela se pourrait, pour ce que j'en sais. Qui est-ce et que fait-elle ?

— Plus rien. On a annoncé son décès dans les journaux, la semaine dernière.

— Dans ce cas, elle ne peut guère nous aider.

Je continuai ma lecture :

— Shaw... Je connais un dentiste qui s'appelle Shaw, et puis il y a Jerome Shaw, l'avocat de la couronne. Delafontaine... J'ai entendu ce nom-là il n'y a pas longtemps, mais je ne me rappelle pas où. Corrigan... est-ce que cela te concernerait, par hasard?

— J'espère de tout mon cœur que non. J'ai l'impression que cela porte malheur d'avoir son nom sur cette liste.

— Peut-être bien. Mais qu'est-ce qui te fait penser à un chantage?

— C'est une supposition de l'inspecteur Lejeune, si je ne me trompe. C'est la plus vraisemblable. Mais il n'en manque pas d'autres. Ça pourrait être une liste de trafiquants de drogue, ou de drogués, ou d'agents secrets — n'importe quoi, en fait. Une seule chose est sûre : le document est assez important pour qu'un crime ait été commis afin de le récupérer.

— Tu t'intéresses toujours autant à l'aspect policier de ton travail? m'étonnai-je.

Il secoua la tête :

— Je ne peux pas dire. En fait, ce qui m'intéresse, c'est la personnalité du criminel. Son origine, son éducation et, surtout, l'état de ses glandes endocrines — ce genre de trucs.

— Alors pourquoi t'occupes-tu de cette liste?

— Que je sois pendu si je le sais, répondit Corrigan, songeur. Peut-être pour y avoir trouvé mon nom. Debout, les Corrigan! Un Corrigan au secours d'un autre Corrigan.

— Au secours? Alors tu es persuadé qu'il s'agit d'une liste de victimes et non d'une liste de malfaiteurs? Pourtant, cela n'aurait rien d'impossible.

— Tu as entièrement raison. C'est très étrange que j'en sois si sûr. C'est sans doute une simple intuition. Ou alors c'est à cause du père Gorman. Je ne l'ai pas rencontré souvent, mais c'était un type bien, respecté de tous et très aimé de ses ouailles. Il était de la trempe du bon et solide missionnaire. Je n'arrive pas à m'ôter de la tête qu'il voyait dans cette liste un problème de vie ou de mort...

— Et la police ? Elle ne tient aucune piste ?

— Oh ! si, mais cela prend beaucoup de temps. Vérifier ceci, vérifier cela. Enquêter sur les antécédents de la femme qui l'a fait appeler à son chevet ce soir-là...

— Qui était-ce ?

— Aucun mystère à son sujet. Veuve. Nous avions dans l'idée que son mari aurait pu avoir un rapport avec les courses de chevaux, mais apparemment, il n'en est rien. Elle travaillait pour un institut de sondage. Rien de louche de ce côté-là. C'est une petite société, mais sa réputation est bonne. Ils ne savent pas grand-chose d'elle. Elle était venue du nord de l'Angleterre — du Lancashire. Sa seule étrangeté, c'est le peu d'affaires personnelles qu'elle possédait.

Je haussai les épaules :

— J'imagine que c'est beaucoup plus répandu qu'on ne pense. Notre monde est fait de gens solitaires.

— Oui, comme tu dis.

— Quoi qu'il en soit, tu as décidé de leur donner un coup de main ?

— Je ne fais que fouiner un peu partout. Hesketh-Dubois est un nom plutôt rare. Je m'étais dit que si j'arrivais à trouver un petit quelque chose à propos de cette dame... Mais d'après ce que tu me racontes, il n'y a rien à tirer de ce côté-là.

— Elle n'était ni droguée ni trafiquante de drogue, lui assurai-je. Et certainement pas agent secret. Et elle a vécu une vie beaucoup trop sage pour donner prise au chantage. Je ne vois vraiment pas sur quel genre de liste elle pourrait bien figurer. Ses bijoux étaient dans un coffre à la banque, rien ne pouvait tenter un cambrioleur.

— Tu ne connais pas d'autre Hesketh-Dubois ? Des fils ?

— Elle n'a pas eu d'enfants. Je crois qu'elle a un

neveu et une nièce, mais ils ne portent pas le même nom. Et son mari était fils unique.

Corrigan me déclara avec dépit que je lui avais été d'un grand secours. Après avoir jeté un coup d'œil à sa montre, il m'expliqua gaiement qu'on l'attendait pour une autopsie, et nous nous séparâmes.

Je rentrai chez moi, songeur et incapable de me concentrer sur mon travail. Au bout d'un moment, sous le coup d'une impulsion subite, je téléphonai à David Ardingly :

— David ? Ici Mark. Cette fille qui était avec toi l'autre soir. Cette Poppy. Quel est son nom de famille ?

— Tu veux me souffler ma folle maîtresse, c'est ça ?

David avait l'air très amusé.

— Tu en as tellement ! répliquai-je. Tu n'es pas à une près.

— Tu es également assez bien pourvu en la matière, mon vieux. J'étais persuadé que Hermia et toi étiez en ménage.

« En ménage »... quelle expression affreuse. Et pourtant, me dis-je, soudain frappé par son adéquation, elle décrivait parfaitement ce que le commun des mortels devait juger de mes relations avec Hermia. Pourquoi est-ce que je trouvais ça déprimant ? Tout au fond de moi-même, j'avais toujours eu le sentiment qu'un beau jour, Hermia et moi nous marierions... J'avais beaucoup plus d'affection pour elle que pour n'importe qui. Nous avions tellement de choses en commun...

Dieu sait pourquoi, j'éprouvai une terrible envie de bâiller. Notre avenir s'étalait devant moi. Nous irions, Hermia et moi, voir des spectacles lourds de sens, des pièces importantes. Nous discuterions art, musique. Aucun doute, Hermia serait la compagne parfaite.

Mais ça ne serait peut-être pas très drôle, me souffla un diablotin échappé tout droit de mon subconscient. J'en fus choqué.

— Tu t'es endormi ? demanda David.

— Bien sûr que non. Pour te dire la vérité, je trouve ton amie Poppy infiniment rafraîchissante.

— C'est le mot. À petites doses, c'est bien ce qu'elle est. En fait, elle s'appelle Pamela Stirling, et elle travaille chez un de ces fleuristes décorateurs de Mayfair. Tu vois le genre : trois brindilles de bois mort, une tulipe aux pétales ramenés en arrière avec des épingles et une feuille de laurier mouchetée. Prix : trois guinées.

Il me donna l'adresse.

— Sors-la et amuse-toi bien, ajouta-t-il d'un ton paternel. Tu vas voir, ça va te détendre. Cette fille ne sait rien. Elle a la tête rigoureusement vide. Elle gobe tout ce qu'on lui raconte. À propos, elle est vertueuse, alors ne te fais pas d'illusions.

Il raccrocha.

★

Ce fut non sans une certaine fébrilité que je franchis les portes de Flower Studios Ltd. Une violente odeur de gardénia faillit m'empêcher d'aller plus avant. La multiplicité des filles, toutes vêtues d'un fourreau vert clair et qui ressemblaient toutes à Poppy, me laissa un instant pantois. Je finis néanmoins par l'identifier. En train d'inscrire avec difficulté une adresse et saisie d'un doute quant à l'exacte graphie de Fortescue Crescent, elle s'était immobilisée, stylo en l'air et bouche bée.

Dès qu'elle fut libérée — après quelques difficultés supplémentaires causées par la nécessité de rendre la monnaie sur un billet de cinq livres —, j'attirai sur moi son attention.

— Nous nous sommes rencontrés hier soir... avec David Ardingly, lui rappelai-je.

— Ah *oui !* acquiesça Poppy avec chaleur, le regard perdu dans le vague au-dessus de ma tête.

— Je voudrais vous poser une question... Mais je ferais peut-être bien d'acheter quelques fleurs, enchaînai-je, pris d'un soudain scrupule.

Tel un automate dont on a actionné le bouton adéquat, Poppy ronronna :

— Nous avons de très jolies roses, toutes fraîches de ce matin.

— Ces jaunes-là, peut-être ?

Des roses, il y en avait partout.

— Elles coûtent combien ?

— Elles sont aujourd'hui *follement* bon marché, roucoula Poppy d'une voix sirupeuse. Cinq shillings pièce seulement.

Je déglutis et lui en demandai six.

— Avec un peu de ce feuillage *follement* original ?

J'examinai avec circonspection le feuillage follement original, qui me sembla surtout en état de décomposition avancée. Je choisis à sa place quelques branches d'asparagus d'un vert éclatant, ce qui me fit visiblement dégringoler dans l'estime de Poppy.

— Je voudrais vous poser une question, répétai-je tandis que Poppy disposait maladroitement l'asparagus autour des roses. Hier soir, vous avez fait allusion à un endroit qui s'appelle *Le Cheval pâle*.

Poppy sursauta violemment et laissa choir roses et asparagus.

— Pourriez-vous m'en parler un peu ?

Poppy, qui s'était baissée, se redressa :

— Qu'est-ce que vous disiez ?

— Je vous interrogeais à propos du *Cheval pâle*.

— Un Cheval pâle ? Je ne comprends pas du tout

— C'est vous-même qui l'avez mentionné hier soir.

— Je suis bien sûre que non ! Je n'en ai jamais entendu parler.

— Quelqu'un vous l'a pourtant signalé. Qui ça ?

Poppy prit une profonde inspiration et répondit très vite :

— Je ne vois pas du tout ce que vous voulez dire ! D'ailleurs, nous n'avons pas le droit de bavarder avec les clients. Voilà, ajouta-t-elle en enveloppant mon bouquet n'importe comment. Ça fera trente-cinq shillings.

Je lui donnai deux billets d'une livre. Elle me fourra six shillings dans la main et se tourna aussitôt vers un autre client.

Je remarquai que ses mains étaient agitées de tremblements.

Je sortis lentement. Après avoir fait un petit bout de chemin, je m'aperçus qu'elle s'était trompée dans ses comptes (l'asparagus coûtait 7 shillings 6 pence), et qu'elle m'avait rendu trop d'argent. Auparavant, c'est dans l'autre sens qu'elle avait fait des erreurs d'arithmétique.

Je revis son charmant visage vide, ses grands yeux bleus. Des yeux qui trahissaient quelque chose.

« La frayeur, me dis-je. Une sainte frayeur. Mais pourquoi ? *Pourquoi ?* »

5

Récit de Mark Easterbrook

— Quel soulagement ! soupira Mrs Oliver. C'est fini et tout s'est bien passé !

L'instant était à la détente. La fête de Rhoda s'était déroulée comme à l'habitude. Terribles angoisses à propos du temps qui, au petit matin, s'était montré capricieux à l'extrême. Discussions éperdues afin de décider si oui ou non on pouvait installer quelques stands en plein air ou s'il fallait tous les mettre à l'abri dans la grange ou sous la tente. Avis divers et passionnés sur la manière de servir le thé, etc. Tact déployé par Rhoda pour régler ces mêmes différends. Fuites répétées des chiens de Rhoda, attendrissants mais indisciplinés, qui devaient en principe rester enfermés dans la maison étant donné les doutes qu'inspirait leur comportement en cette solennelle occasion. Doutes amplement justifiés ! Arrivée d'une obscure mais très charmante starlette enfouie dans une masse de fourrures claires, censée ouvrir la fête et qui s'en acquitta avec grâce, ajoutant quelques paroles émouvantes sur la situation lamentable des réfugiés... à la stupeur générale, la fête ayant pour objet la restauration du clocher de l'église. Énorme succès du stand des boissons. Difficultés habituelles avec la monnaie. Pagaille monstre à l'heure du thé, quand tous les participants avaient envahi la tente pour le prendre en même temps.

Finalement, arrivée du soir — une bénédiction ! Les démonstrations de danses régionales se poursuivaient dans la grange. Des feux d'artifice et un feu de camp avaient été prévus, mais toute la maisonnée, épuisée, s'était maintenant retirée dans la salle à manger où elle partageait un repas froid sur le pouce tout en se livrant à une de ces conversations décousues où chacun exprime ses pensées sans écouter celles des autres. On se sentait à l'aise dans cette incohérence. Libérés, les chiens rongeaient joyeusement des os sous la table.

— Nous avons dû récolter plus que nous ne l'avions fait pour « Sauvez nos enfants » l'année dernière, déclara gaiement Rhoda.

— C'est quand même extraordinaire, remarqua miss Macalister, la gouvernante d'enfants écossaise, que ce soit Michael Brent qui ait trouvé le trésor pour la troisième année consécutive. C'est à se demander s'il n'obtient pas des indices à l'avance.

— C'est lady Brookbank qui a gagné le cochon. J'ai l'impression que ça ne lui a fait aucun plaisir. Elle avait l'air terriblement embarrassée.

Notre petite assemblée se composait de ma cousine Rhoda et de son mari, le colonel Despard ; de miss Macalister ; d'une jeune femme aux cheveux roux fort opportunément dénommée Ginger ; de

Mrs Oliver ; du pasteur, le révérend Caleb Dane Calthrop, et de sa femme. Le pasteur était un charmant vieil érudit dont le plaisir principal consistait, quel que soit le propos, à trouver une citation classique pour le commenter. Bien que ce léger travers soit souvent cause d'embarras et mette la plupart du temps un terme à la conversation, les choses se passaient pour l'instant au mieux. Le pasteur n'attendait jamais un écho au latin dont il se gargarisait : la satisfaction d'avoir trouvé la citation adéquate était en soi sa meilleure récompense.

— Comme le dit si bien Horace..., préluda-t-il avec un grand sourire à la ronde.

Le silence habituel s'instaura.

— J'ai comme l'impression que Mrs Horsefall a triché à propos de la bouteille de champagne, intervint Ginger, rêveuse. C'est son neveu qui l'a gagnée.

Mrs Dane Calthrop, créature déconcertante aux yeux d'une beauté peu commune, examinait Mrs Oliver d'un air songeur. Elle s'enquit soudain tout à trac :

— Que pensiez-vous qu'il allait se passer au cours de cette fête ?

— Ma foi, un meurtre, ou quelque chose d'approchant.

Mrs Dane Calthrop parut fascinée :

— Mais pour quelle raison un meurtre ?

— Aucune. En réalité, c'est assez invraisemblable. Simplement, on en a commis un à la dernière fête où j'ai été.

— Je comprends. Et ça vous tourmente ?

— Beaucoup.

Le pasteur passa du latin au grec.

Après le silence de rigueur, miss Macalister émit des doutes quant à l'honnêteté de la tombola pour le canard vivant.

— C'est très élégant de la part du vieux Lugg de *King's Arms* de nous avoir envoyé douze douzaines de bières pour le stand des boissons, tint à signaler Despard.

— *King's Arms* ? demandai-je vivement.

— C'est le pub local, très cher, me répondit Rhoda.

— Est-ce qu'il n'y en a pas un autre dans les environs ? Le... *Cheval pâle,* c'est bien ça, n'est-ce pas ? ajoutai-je en me tournant vers Mrs Oliver.

J'avais vaguement espéré une réaction, mais il n'y en eut aucune. Ils me regardèrent tous d'un œil parfaitement indifférent.

— Le *Cheval pâle* n'est pas un pub, rectifia Rhoda. Du moins, plus maintenant.

— C'était une vieille auberge, précisa Despard. Le gros des bâtiments date du xvie, à mon avis. Mais c'est devenu une maison bourgeoise. Je me suis toujours dit qu'ils auraient dû changer le nom.

— Oh, non ! s'exclama Ginger. Il aurait été ridicule de l'appeler Le Relais, ou Belle Vue... Je trouve le *Cheval pâle* beaucoup plus joli, et puis il y a là-bas une vieille enseigne ravissante. Elles l'ont fait encadrer et l'ont accrochée dans le hall.

— Qui ça, elles ? demandai-je.

— La maison appartient à Thyrza Grey, me renseigna Rhoda. Tu ne l'as pas vue aujourd'hui ? Une grande femme aux cheveux gris coiffée à la garçonne.

— Elle donne dans l'occultisme, compléta Despard. Elle s'intéresse au spiritualisme, aux états de transe, à la magie. Pas aux messes noires, mais c'est tout comme.

Ginger éclata soudain de rire :

— Excusez-moi ! J'étais en train d'imaginer miss Grey en Mme de Montespan, nue comme au premier jour sur un autel de velours noir.

— Ginger ! s'offusqua Rhoda. Pas devant le pasteur !

— Désolée, Mr Dane Calthrop.

— Il n'y a pas de quoi, répondit le pasteur avec un grand sourire. Comme disaient les anciens...

Et il poursuivit un certain temps en grec.

Après un respectueux silence appréciateur, je repartis à l'attaque :

— Je voudrais quand même savoir qui sont ces « elles ». Miss Grey et qui d'autre ?

— Oh ! elle a une amie qui vit chez elle. Sybil Stamfordis. Une médium, je crois. Tu as dû la voir traîner dans les parages. Avec un tas de scarabées et de colliers, et parfois un sari. On se demande bien pourquoi... elle n'a jamais mis les pieds aux Indes...

— Et puis il y a Bella, ajouta Mrs Dane Calthrop. C'est leur cuisinière, expliqua-t-elle, et elle est également sorcière. Elle vient du village de Little Dunning, où elle a acquis une solide réputation. Cela tient de famille. Sa mère aussi était sorcière.

Elle avait dit ça du ton dont on rapporte un fait indiscutable.

— Vous croyez vraiment à la sorcellerie, Mrs Dane Calthrop ? demandai-je.

— Évidemment ! Il n'y a rien de mystérieux ou de secret là-dedans. En réalité, c'est un don qu'ils héritent de leurs parents. On apprend aux enfants du village à ne pas embêter leurs chats et, de temps à autre, les gens leur font cadeau d'un peu de fromage blanc ou d'un pot de confiture faite à la maison.

Je la regardai avec suspicion, mais elle paraissait très sérieuse.

— Sybil nous a aidés aujourd'hui en disant la bonne aventure, intervint Rhoda. Elle était sous la tente verte. Je crois qu'elle fait ça très bien.

— En tout cas, elle m'a prédit un bel avenir, se félicita Ginger. De l'argent plein les poches. Un bel étranger venu d'au-delà des mers, deux maris et six enfants. Vraiment, je suis comblée.

— J'ai vu la fille Curtis sortir de là en pouffant, reprit Rhoda. Après quoi elle s'est montrée extrêmement réservée avec son chevalier servant. Elle lui a fait comprendre, entre autres, qu'il n'était pas le seul galet sur la plage.

— Pauvre Tom, commenta son mari. Et il n'a pas remonté la pente ?

— Oh! que si. Il lui a assené : « J'te dirai pas ce qu'elle m'a promis à moi. P't-être ben qu'ça t'souri-rait point trop, ma poule! »

— Tant mieux pour Tom.

— La vieille Mrs Parker y est allée de ses commentaires acerbes, fit Ginger dans un éclat de rire. « C'est rien que foutaises et compagnie », voilà ce qu'elle leur a dit. « Allez pas gober ça, vous deux. » Sur quoi Mrs Cripps l'a pris de haut : « Vous savez aussi bien que moi, Lizzie, que miss Stamfordis voit des choses que les autres ne voient pas, et que miss Grey sait au jour près quand c'est qu'il va y avoir un mort. Et je l'ai jamais vue se tromper! Même qu'elle m'en donne la chair de poule, des fois. » Et Mrs Parker a bien été forcée de capituler : « La mort, alors là, j'dis pas : c'est différent. C'est un don. » Et Mrs Cripps a conclu : « De toute façon, je me garderais bien d'offenser une des trois, pour ça oui! »

— Tout cela me paraît fascinant. J'adorerais les rencontrer, remarqua Mrs Oliver, d'un air désenchanté.

— Nous vous emmènerons là-bas demain, lui promit le colonel Despard. Cette vieille auberge mérite le détour. Elles l'ont très astucieusement rendue confortable sans rien lui faire perdre de son caractère.

— Je téléphonerai à Thyrza demain matin, décréta Rhoda.

J'allai me coucher, un peu déçu, je dois le reconnaître.

Le *Cheval pâle*, qui dans mon imagination s'était mué en symbole de l'Inconnu et du Sinistre, n'était en définitive rien de tout cela.

À moins, évidemment, qu'il n'existât un autre *Cheval pâle* quelque part ailleurs?

Tandis que je retournais cette idée dans ma tête, je m'endormis.

★

Le lendemain, dimanche, nous éprouvions un sentiment de détente. Un sentiment d'après-la-fête. Sur la pelouse, les tentes battaient toutes mollement dans la brise humide en attendant que le traiteur vienne les enlever lundi, aux aurores. Quant à nous, nous nous mettrions alors au travail pour faire l'inventaire des dégâts et tout remettre en ordre. Mais aujourd'hui, Rhoda avait sagement décidé qu'il valait mieux s'éloigner d'ici le plus longtemps possible.

Nous allâmes tous à l'église, écouter respectueusement le sermon érudit de Mr Dane Calthrop, tiré d'un texte d'Isaïe et qui semblait avoir moins de rapports avec la religion qu'avec l'histoire de la Perse.

— Nous allons déjeuner chez Mr Venables, nous expliqua ensuite Rhoda. Il te plaira, Mark. C'est un homme vraiment très intéressant. Il a tout vu et tout fait. Il connaît toutes sortes de choses hors du commun. Il a acheté Priors Court il y a environ trois ans, et les améliorations qu'il lui a apportées ont dû lui coûter une fortune. Comme il a eu la polio, il est à moitié infirme et obligé de se déplacer en fauteuil roulant. C'est très triste pour lui, d'autant plus qu'il avait été grand voyageur jusque-là, d'après ce que j'ai compris. Évidemment, il roule sur l'or et, comme je l'ai déjà dit, il a merveilleusement bien restauré la maison... c'était une ruine, elle tombait en morceaux. Elle est bourrée d'objets splendides. Les ventes aux enchères doivent être son principal pôle d'intérêt, à présent.

Priors Court n'était qu'à quelques kilomètres de là. Nous y allâmes en voiture et notre hôte, manœuvrant lui-même son fauteuil roulant, vint au-devant de nous dans le hall :

— C'est gentil de votre part d'être ici. Vous devez être tous épuisés après la journée d'hier. En tout cas, c'était très réussi, Rhoda.

Mr Venables avait la cinquantaine environ, un visage étroit d'où saillait avec arrogance un nez en bec d'aigle. Il portait une chemise à col ouvert à la

Danton qui lui donnait un petit air vaguement démodé.

Rhoda fit les présentations.

Venables adressa un sourire à Mrs Oliver.

— J'ai rencontré cette dame hier, dans son activité professionnelle, déclara-t-il. Je lui ai fait signer six de ses romans. Cela me fera six cadeaux de Noël. C'est du grand art ce que vous écrivez, madame. Donnez-nous encore longtemps ce plaisir. Nous ne nous en lasserons jamais.

S'adressant cette fois à Ginger, il poursuivit :

— Vous avez bien failli m'attribuer un canard vivant, jeune personne.

Puis, se tournant vers moi, il ajouta :

— L'article que vous avez fait paraître dans *Review*, le mois dernier, m'a beaucoup plu.

— C'est vraiment très gentil d'être venu à notre fête, Mr Venables, dit Rhoda. Après le chèque très généreux que vous nous aviez fait parvenir, je n'espérais pas que vous vous déplaceriez en personne.

— Oh! j'aime beaucoup ce genre de festivités. Cela fait partie de la vie de la campagne anglaise, n'est-ce pas ? Je suis rentré en serrant dans mes bras une horrible poupée que j'avais gagnée aux anneaux, et notre Sybil — enfouie sous un turban phosphorescent et une tonne de faux colliers égyptiens — m'a prédit un merveilleux avenir assez irréaliste.

— Cette bonne vieille Sybil, commenta le colonel Despard. Nous allons prendre le thé avec elle et Thyrza, cet après-midi. Elles habitent une vieille bicoque très intéressante.

— Le *Cheval pâle* ? Oui. Je regrette que ce ne soit plus une auberge. Cet endroit m'a toujours donné l'impression d'avoir eu un passé mystérieux et particulièrement trouble. Il ne s'agissait certainement pas de contrebande, nous sommes trop loin de la mer pour ça. Un relais pour les bandits de grands chemins, peut-être ? Ou un lieu où de riches voyageurs passaient la nuit, après quoi on ne les revoyait plus jamais'? En tout cas, il semble bien être devenu la très paisible retraite de trois charmantes vieilles filles.

— Oh! Ce n'est jamais en ces termes que je pense à elles! se récria Rhoda. Sybil Stamfordis est peut-être un peu ridicule avec ses saris, ses scarabées, et ces auras qu'elle voit autour de tout le monde. Mais Thyrza a vraiment un côté impressionnant, vous ne trouvez pas? On a le sentiment qu'elle sait exactement ce que vous pensez. Elle n'a jamais prétendu avoir un don de voyance, mais personne n'ignore qu'elle l'a bel et bien.

— Et loin d'être une vieille fille, Bella a enterré deux maris, souligna le colonel Despard.

— Je lui présente mes plus sincères excuses, déclara Venables en riant.

— Deux maris dont les voisins ont d'ailleurs interprété la mort de la plus sinistre façon, ajouta Despard. On chuchote qu'ils avaient cessé de lui plaire et qu'il lui avait alors suffi de fixer son regard sur eux pour qu'ils dépérissent lentement!

— Evidemment, je l'avais oublié, c'est la sorcière de la région?

— C'est ce que prétend Mrs Carthrop.

— La sorcellerie, c'est passionnant, remarqua Venables, songeur. On en trouve des variantes dans le monde entier. Quand j'étais en Afrique orientale, je me rappelle...

Il s'exprima avec aisance et de façon très intéressante sur le sujet. Il parla des guérisseurs africains; de cultes peu connus de Bornéo. Il nous promit de nous montrer, après le déjeuner, quelques masques de sorciers d'Afrique orientale.

— On trouve tout, dans cette maison, déclara Rhoda en riant.

— Ma foi, répliqua-t-il en haussant les épaules, si vous ne pouvez pas aller à la montagne, il faut vous décarcasser pour que la montagne vienne à vous.

Une soudaine amertume avait percé dans sa voix. Il jeta un rapide regard sur ses jambes paralysées.

— Le monde est tellement plein de merveilles, poursuivit-il. Cela a toujours été ma perte. Je voulais tout voir... tout savoir! Bah! j'en ai largement profité dans mon jeune temps. Et même maintenant, la vie m'offre bien des consolations.

— Mais pourquoi ici? demanda soudain Mrs Oliver.

Les autres étaient légèrement mal à l'aise, comme on l'est toujours quand un soupçon de tragédie plane dans l'air. Seule Mrs Oliver paraissait y être insensible. Si elle avait posé la question, c'était tout simplement parce que la réponse l'intéressait. Et grâce à sa franche curiosité, l'atmosphère retrouva sa précédente légèreté.

Venables la regarda d'un œil interrogateur.

— Ce que je me demande, reprit Mrs Oliver, c'est pourquoi vous êtes venu vivre ici, dans cette campagne perdue? Si loin de tout ce qui se passe. Vous y aviez des amis?

— Non. Et si vous tenez vraiment à savoir pourquoi j'ai choisi ce trou pour y vivre, eh bien c'est justement parce que je n'y ai pas d'amis, répondit-il avec un léger sourire ironique.

Avait-il été très affecté par son handicap? La perte de ses mouvements spontanés, de sa liberté d'explorer le monde, avait-elle profondément altéré son âme? Ou s'était-il arrangé pour s'adapter aux circonstances avec un relatif fatalisme, avec une réelle grandeur?

Comme s'il avait lu dans mes pensées, Venables reprit :

— Dans votre article, vous vous interrogez sur le sens du mot « grandeur »... vous comparez ses différentes acceptions en Orient et en Occident. Mais qu'est-ce qu'implique pour nous, aujourd'hui, en Angleterre, le terme de « grand homme » ?

— Sûrement une grande intelligence, répondis-je, et sûrement aussi une grande force morale.

Il me regarda, l'œil brillant :

— Il serait donc impossible de qualifier de « grand » un homme foncièrement mauvais ?

— Bien sûr que si ! s'écria Rhoda. Napoléon par exemple, ou Hitler et bien d'autres... Ils étaient tous de grands hommes.

— À cause des résultats de leurs menées ? demanda Despard. Mais si quelqu'un les avait connus personnellement, je ne suis pas certain qu'ils l'auraient le moins du monde impressionné.

Ginger se pencha vers lui et se passa la main dans sa tignasse poil de carotte :

— C'est une idée très intéressante. N'auraient-ils pas pu lui apparaître comme des personnages pitoyables, trop petits ? Se pavanant, prenant la pose, ne se sentant pas à la hauteur mais décidés à devenir quelqu'un, quitte à exterminer tout le monde sur leur passage ?

— Oh, non ! protesta Rhoda avec véhémence. S'ils avaient été comme ça, ils n'auraient pas pu obtenir les mêmes résultats.

— Je me le demande, répliqua Mrs Oliver. Après tout, l'enfant le plus idiot est capable d'incendier une maison.

— Allons ! allons ! intervint Venables. Je ne peux vraiment pas vous suivre dans cette façon moderne que vous avez de minimiser le mal, comme si le diable n'existait pas. Le diable existe. Le diable est puissant. Parfois plus puissant que le bien. Il est là. Il faut le traquer et le combattre. Sinon... sinon, ajouta-t-il en écartant les bras, nous nous enfoncerons dans les ténèbres.

— Bien sûr, j'ai été éduquée avec le diable, s'excusa Mrs Oliver. À croire en lui, veux-je dire. Mais il m'a toujours paru si ridicule, avec ses sabots, sa queue, tout ça... et ses cabrioles de mauvais acteur. Bien entendu, j'introduis souvent dans mes histoires ce qu'il est convenu d'appeler un génie du crime — les gens en raffolent — mais cela devient de plus en plus difficile à faire. Tant qu'on

ignore qui il est, j'arrive à le rendre impressionnant. Mais quand le mystère est dévoilé, il paraît si
peu plausible. Une véritable déception. Un ban-
quier qui détourne des fonds, ou un mari qui veut
se débarrasser de sa femme pour épouser la gouvernante de ses enfants, c'est beaucoup plus
simple. Tellement plus naturel, si vous voyez ce
que je veux dire.

Comme tout le monde se mettait à rire, Mrs Oliver ajouta, d'un ton encore plus contrit :

— Je m'exprime très mal, mais vous comprenez
ce que je veux dire ?

Nous lui assurâmes tous que nous comprenions
exactement ce qu'elle voulait dire.

6

Récit de Mark Easterbrook

Il était plus de 4 heures quand nous quittâmes
Priors Court. Après un déjeuner exceptionnelle-
ment délicieux, Venables nous avait fait faire le
tour du propriétaire. Il avait pris un réel plaisir à
nous montrer toutes ses possessions. C'était une
véritable caverne d'Ali Baba.

— Il doit rouler sur l'or, remarquai-je quand
nous en partîmes enfin. Ces jades... ces sculptures
africaines... sans parler de sa collection de porce-
laines de Saxe... Vous avez de la chance d'avoir un
pareil voisin.

— Tu crois que nous l'ignorons ? répliqua
Rhoda. Dans la région, la plupart des gens sont très
gentils, mais ennuyeux comme la pluie. En compa-
raison, Mr Venables est un véritable original.

— Comment a-t-il fait sa fortune ? demanda
Mrs Oliver. Ou l'a-t-il depuis toujours ?

Ironique, Despard fit observer que, de nos jours,

personne ne pouvait se vanter d'avoir hérité de gros revenus. Impôts et droits de succession se chargeaient de régler le problème.

— Quelqu'un m'a raconté, ajouta-t-il, qu'il aurait commencé comme docker, mais cela me paraît quand même improbable. En tout cas, il ne parle jamais de son enfance ni de sa famille. Mr Mystère & Boule de Gomme, quelqu'un pour vous, conclut-il en se tournant vers Mrs Oliver.

Mrs Oliver lui rétorqua qu'on lui offrait toujours ce dont elle ne voulait à aucun prix...

Le *Cheval pâle* était un bâtiment à colombage — d'authentiques colombages, pas des contrefaçons. Il était situé un peu en retrait de la rue du village. Derrière, on apercevait un jardin entouré de murs qui lui donnait un petit air démodé très plaisant.

J'étais déçu et j'exprimai cette déception.

— Ce n'est pas sinistre pour deux sous, déplorai-je. Il n'y a aucune atmosphère.

— Attendez de voir l'intérieur, riposta Ginger.

Nous sortîmes de la voiture et nous dirigeâmes vers la porte, qui s'ouvrit à notre approche.

Miss Thyrza Grey apparut sur le seuil, grande silhouette assez masculine, en veste et jupe de tweed. Ses cheveux gris et raides se dressaient au-dessus d'un front haut, elle avait le nez fort, en bec d'aigle, et les yeux bleu clair et pénétrants.

— Enfin, vous voilà ! s'exclama-t-elle d'une chaleureuse voix de basse. Je pensais déjà que vous vous étiez perdus.

Derrière elle, dans la pénombre du vestibule, j'aperçus quelqu'un qui regardait par-dessus son épaule. Un visage étrange, sans forme, comme fait avec de la pâte à modeler par un enfant qui serait allé s'amuser dans l'atelier d'un sculpteur. Le genre de visage qu'on voit parfois dans la foule, chez les primitifs italiens ou flamands.

Rhoda fit les présentations et expliqua que nous avions déjeuné avec Mr Venables, à Priors Court.

— Ah ! Ça explique tout ! La grande vie ! Ce cuisinier italien qu'il a! Et tous les trésors contenus dans cette maison, qui est elle-même un trésor. Enfin, le pauvre, il faut bien qu'il ait quelque chose pour lui remonter le moral. Mais entrez, entrez. Nous sommes assez fières, nous aussi, de notre petite maison. Du xve — et même du xive pour certaines parties.

De l'entrée, basse de plafond et obscure, partait un escalier en colimaçon. Il y avait aussi une grande cheminée, surmontée d'un tableau encadré.

— C'est la vieille enseigne de l'auberge, dit miss Grey qui avait remarqué mon coup d'œil. On ne peut pas voir grand-chose dans cette lumière. Le *Cheval pâle.*

— Je vais vous le nettoyer, déclara Ginger. Je vous l'ai déjà dit. Confiez-le-moi et vous serez surprise.

— J'ai un peu peur, avoua Thyrza Grey qui ajouta brutalement : Et si vous l'endommagiez ?

— Je ne l'endommagerais évidemment pas ! s'écria Ginger, indignée. Je suis une professionnelle. Je travaille pour les musées de Londres, m'expliqua-t-elle. C'est passionnant.

— Il faut du temps pour s'habituer à vos méthodes modernes de restauration des peintures, poursuivit Thyrza. Chaque fois que je mets les pieds à la National Gallery, j'en reste pantoise. On dirait que tous les tableaux viennent d'être trempés dans un bain de détergent.

— Vous ne les préfériez quand même pas tous foncés et couleur moutarde, protesta Ginger. On pourrait faire apparaître un tas de choses, ajouta-t-elle en examinant l'enseigne. Qui sait, le cheval a peut-être même un cavalier...

J'examinai moi aussi le tableau. C'était une peinture grossière, sans valeur véritable sinon celle, douteuse, du grand âge et de la crasse. La silhouette claire d'un étalon se détachait vaguement sur un fond sombre et imprécis.

— Hé, Sybil! s'écria Thyrza. Nos visiteurs dénigrent notre Cheval, ces insolents!

Miss Sybil Stamfordis apparut et vint nous rejoindre.

C'était une femme grande, mince et souple, aux cheveux noirs plutôt gras, au sourire affecté et à la bouche en cul de poule.

Elle portait un sari d'un vert émeraude agressif qui ne l'avantageait en rien. Elle avait une voix faible, à l'intonation changeante.

— Notre cher, cher Cheval, piaula-t-elle. Dès que nous avons vu cette enseigne, nous en sommes tombées amoureuses. C'est elle qui nous a poussées à acheter la maison, tu ne crois pas, Thyrza ? Mais entrez donc, entrez...

Elle nous conduisit dans une petite pièce carrée qui, à l'époque, devait être le bar. Aujourd'hui, toute de chintz et de Chippendale, elle était résolument devenue salon campagnard féminin. Elle était également pleine de chrysanthèmes.

On nous entraîna ensuite dehors pour nous montrer le jardin, qui devait certainement être charmant en été, puis nous rentrâmes dans la maison où le thé était servi. Nous nous assîmes devant des sandwichs et des gâteaux faits maison et la vieille femme dont j'avais aperçu le visage dans le hall nous apporta une théière en argent. Elle portait un simple sarrau vert foncé. En la voyant de plus près, l'impression que sa tête avait été grossièrement modelée par un enfant dans de la pâte à modeler disparut complètement. Elle avait un visage primitif et sans expression, mais je ne voyais plus du tout pourquoi je l'avais trouvé sinistre.

Tout à coup, je me fâchai contre moi-même. Toutes ces absurdités à propos d'une auberge transformée et de trois femmes d'âge mûr !

— Merci, Bella, dit Thyrza.

— Vous avez tout ce qu'il vous faut ?

La question avait été à peine marmonnée.

— Oui. Merci.

Bella se retira. Elle n'avait regardé personne mais, juste avant de sortir, elle leva les yeux et me jeta un rapide coup d'œil. Son regard me surprit, mais je serais bien en peine d'expliquer pourquoi. Il était plein de malice et d'une étrange intimité. J'eus l'impression que, sans effort, presque sans curiosité, elle savait exactement à quoi je pensais.

Thyrza avait noté ma réaction :

— Bella est déconcertante, n'est-ce pas, Mr Easterbrook? J'ai remarqué le regard qu'elle a posé sur vous.

— Elle est de la région, non? demandai-je en m'efforçant de ne manifester qu'un intérêt poli.

— Oui. On a déjà dû vous dire que c'était la sorcière locale.

Sybil Stamfordis fit tinter ses colliers :

— Avouez-le, Mr... Mr...

— Easterbrook.

— ... Mr Easterbrook. Vous avez sûrement entendu dire que nous pratiquions toutes la sorcellerie. Avouez, maintenant. Nous avons acquis une certaine réputation, vous savez.

— Peut-être méritée, confirma Thyrza, qui paraissait s'amuser. Sybil, par exemple, est très douée.

Sybil soupira d'aise.

— J'ai toujours été attirée par l'occultisme, murmura-t-elle. Je n'étais encore qu'une enfant quand je me suis rendu compte que j'avais des pouvoirs qui sortaient de l'ordinaire. L'écriture automatique m'est venue spontanément. Je ne savais même pas ce que c'était! J'étais simplement là, un crayon à la main, sans rien comprendre de ce qui se passait. Bien sûr, j'ai toujours été d'une sensibilité extrême. Une fois, je me suis évanouie en prenant le thé chez une amie. Il s'était passé quelque chose d'horrible dans la pièce où nous étions... Je le « savais »! Plus tard, nous en eûmes l'explication. Un meurtre avait été commis... vingt-cinq ans auparavant. Dans cette même pièce!

Elle hocha la tête et nous regarda tour à tour, avec satisfaction.

— Très remarquable, déclara le colonel Despard avec un dégoût poli.

— Des choses sinistres se sont passées dans cette maison-ci, reprit Sybil d'un air sombre. Mais nous avons pris les mesures nécessaires. Les esprits liés à la terre ont été libérés.

— Un genre de grand ménage spirituel de printemps, suggérai-je.

Sybil me lança un regard dubitatif.

— Votre sari est d'une couleur ravissante, observa Rhoda.

Sybil s'épanouit :

— Oui, je l'ai trouvé en Inde. J'ai passé des moments très intéressants là-bas. J'ai étudié le yoga et toutes ces disciplines. Mais je ne pouvais m'empêcher de trouver tout cela trop sophistiqué, trop éloigné du naturel. J'avais le sentiment qu'il fallait retourner en arrière, aux origines, aux puissances primitives. Je suis une des rares femmes à être allée en Haïti. Là-bas, vous touchez vraiment du doigt les sources de l'occultisme. Bien sûr, sous une couche de corruption et d'altérations. Mais c'est bien de là qu'elles ont jailli.

» On m'a fait voir beaucoup de choses, surtout après avoir appris que j'avais deux sœurs, des jumelles un peu plus âgées que moi. Le Dossu, ou la Dossa, l'enfant né après des jumeaux, possède des pouvoirs extraordinaires, c'est ce qu'on m'a raconté. Intéressant, non ? Leurs danses en hommage aux défunts sont merveilleuses, accompagnées de toute la panoplie : têtes de morts et outils de fossoyeurs, bêches, pioches et houes. Et ils sont habillés comme des employés des pompes funèbres, en noir et chapeau haut-de-forme.

» Le chef de file des esprits de la mort est le Baron Samedi, et il invoque Papa Legba, le dieu qui « ouvre la barrière » — celle qui sépare les humains du surnaturel. On envoie le mort en avant... pour qu'il prépare lui-même son entrée dans la mort. Etonnante idée, non ?

» Et ça..., continua Sybil en se levant pour aller prendre un objet sur le rebord de la fenêtre. Ça, c'est mon Asson. C'est une calebasse cernée d'un enchevêtrement de perles et — vous voyez ces petites choses-là ? — de vertèbres de serpent séchées.

Nous y jetâmes un regard poli, mais dépourvu d'enthousiasme.

Sybil caressa affectueusement son horrible hochet.

— Très intéressant, remarqua courtoisement Despard.

— Je pourrais vous en raconter encore long-temps...

À ce point, mon attention commença à s'égailler cependant que Sybil continuait à dispenser sa science de la sorcellerie et du vaudou :

— Le Maître-Carrefour... la grande famille des Guédé... les Ounsi...

Je m'aperçus soudain que Thyrza me regardait d'un air narquois.

— Vous n'en croyez rien, n'est-ce pas ? murmura-t-elle. Vous avez tort, vous savez. Vous ne pouvez pas tout rejeter comme étant le fruit de la superstition, de la peur ou de la bigoterie. Les vérités premières, les puissances élémentaires, tout cela existe bel et bien. Elles ont toujours existé. Elles existeront toujours.

— Je ne m'aviserai pas de le contester.

— Voilà qui est d'un sage. Venez voir ma biblio-thèque.

Nous sortîmes par la porte-fenêtre et je la suivis le long de la maison.

— Nous l'avons installée dans les anciennes écuries, expliqua-t-elle.

Les écuries et les dépendances avaient été réunies en une seule grande pièce. Tout un mur était couvert de livres. Je m'en approchai et m'exclamai :

— Vous possédez un certain nombre de raretés,

miss Grey. *Malleus Maleficorum...* C'est bien l'édition originale? Ma parole, vous avez là de véritables trésors...

— N'est-ce pas?

— Ce grimoire, ce manuel de magie à l'usage des sorciers... c'est vraiment une pièce unique.

Je sortais les ouvrages les uns après les autres. Thyrza m'observait avec un air de satisfaction que je ne m'expliquais pas.

Comme je remettais en place *Sadducismus Triumphatus,* Thyrza me déclara :

— Cela fait plaisir de rencontrer quelqu'un qui apprécie vos trésors. Ils font bâiller la plupart des gens.

— J'imagine que vous n'ignorez plus rien de la sorcellerie et de sa pratique, remarquai-je. Qu'est-ce qui vous a amenée à vous intéresser à ça?

— Difficile à dire, maintenant. C'est si loin! On commence par y porter un regard simplement curieux et puis, tout à coup, on est pris! C'est un domaine tellement fascinant! Ce que les gens peuvent croire... les folies qu'ils sont capables de commettre!

Je ris :

— Cela me réconforte. Je suis heureux de voir que vous ne croyez pas tout ce que vous lisez.

— Vous ne devez pas me juger en fonction de cette pauvre Sybil. Oh! oui, j'ai bien remarqué vos airs supérieurs! Mais vous avez tort. Elle est stupide de bien des façons. Le vaudou, la démonologie, la magie noire, elle mélange tout pour en faire un splendide pudding d'occultisme... mais il n'empêche : elle a des pouvoirs.

— Des pouvoirs?

— Je ne sais pas comment on pourrait appeler ça autrement. Il y a des gens qui peuvent devenir des ponts vivants entre ce monde-ci et un monde de mystérieux pouvoirs. Sybil fait partie de ceux-là. C'est une médium de première grandeur. Elle n'a jamais exercé ses dons pour de l'argent, mais ils n'en sont pas moins tout à fait exceptionnels. Quand Bella, elle et moi...

— Bella?

— Oh! oui. Bella a ses propres pouvoirs. Nous en avons toutes, à différents degrés. En équipe...

Elle s'interrompit.

— Sorciers & Cie Ltd, suggérai-je en souriant.

— Si vous voulez.

Je jetai un coup d'œil au volume que je tenais en main :

— Nostradamus et tout ça?

— Nostradamus et tout ça.

— Vous y croyez, n'est-ce pas?

— Je ne *crois* pas. Je *sais*, me répondit-elle d'un ton triomphant.

— Mais comment? De quelle façon? Pour quelle raison?

Elle me montra du doigt les rayonnages :

— Tout ça! C'est rempli d'absurdités, d'une phraséologie pompeuse et ridicule! Mais si vous balayez les superstitions et les préjugés de l'époque, le fond est vrai. On l'habille — on l'a toujours habillé — simplement afin d'impressionner le monde.

— Je ne suis pas sûr de vous suivre.

— Mon cher ami, pourquoi, à travers les âges, les hommes sont-ils toujours allés consulter les nécromanciens, les sorciers, les guérisseurs? Pour deux raisons, en fait. Car ils ne désirent que deux choses avec assez de passion pour risquer d'être damnés : le philtre d'amour ou la coupe de poison.

— Ah!

— On ne fait pas plus simple, non? L'amour et la mort. Le philtre d'amour pour séduire celui que vous voulez, la messe noire pour le garder. Vous devez prendre un breuvage au moment de la pleine lune. Réciter une liste de noms de démons ou d'esprits. Dessiner des modèles par terre ou sur le mur. Mais tout cela c'est pour la galerie. La vérité, c'est l'aphrodisiaque que contient le breuvage!

— Et la mort?

— La mort? répéta-t-elle avec un étrange petit rire qui me mit mal à l'aise. Etes-vous à ce point intéressé par la mort?

— Qui ne l'est pas? répliquai-je d'un ton léger.

— Je me le demande.

Elle me lança un regard perçant, inquisiteur, qui me déconcerta:

— La mort... Elle a fait l'objet d'un plus grand commerce encore que les philtres d'amour. Et pourtant, tout cela était d'une telle puérilité dans le passé! Les Borgia et leur fameux poison secret... Vous savez de quoi il s'agissait, en réalité? De vulgaire arsenic blanc, sans plus! Exactement le même que celui qu'emploient toutes les femmes dans les bas quartiers. Aujourd'hui, nous avons fait de grands progrès. La science a fait reculer les frontières.

— Grâce à des poisons indétectables? suggérai-je, sceptique.

— Des poisons! C'est démodé. Enfantin. Des horizons neufs se sont ouverts.

— Comme par exemple?

— L'esprit. La connaissance de ce qu'il est, de ce qu'il est capable de faire, de ce qu'on peut lui faire faire.

— Continuez. C'est très intéressant.

— Le principe en est bien connu. Dans les tribus primitives, les sorciers s'en servent depuis des siècles. Inutile de tuer vos victimes. Tout ce que vous avez à faire c'est... de leur intimer l'ordre de mourir.

— De la suggestion? Mais cela ne peut agir que si la victime y ajoute foi.

— Vous voulez dire que cela ne marche pas sur des Européens? corrigea-t-elle. Si, quelquefois. Mais il ne s'agit pas de cela. Nous sommes allés beaucoup plus loin que tous ces médecins-sorciers. Les psychologues nous ont montré la voie. Le désir de mort! Il existe en chacun de nous. Il suffit de s'appuyer sur lui. De travailler sur ce désir de mort.

— L'idée est intéressante, remarquai-je. Il s'agit de pousser votre sujet au suicide. C'est bien ça ?

— Vous êtes encore à la traîne. Vous n'avez jamais entendu parler de maladies psychosomatiques ?

— Si, bien sûr.

— De gens qui, par refus inconscient de retourner au travail, contractent de véritables maladies. Ils ne simulent pas, ils sont vraiment malades, souffrent vraiment et présentent tous les symptômes de leur mal. Les médecins en ont été très intrigués pendant longtemps.

— Je commence à entrevoir ce que vous voulez dire, murmurai-je pensivement.

— Pour anéantir votre sujet, vous devez exercer votre pouvoir sur son inconscient. Il faut amplifier, stimuler ce désir de mort qui nous possède tous, poursuivit-elle avec un enthousiasme grandissant. Vous ne comprenez pas ? En vertu de cette quête de mort, une *véritable* maladie va se déclarer. Vous souhaitez tomber malade, vous souhaitez mourir, et alors... vous tombez malade et vous mourez.

Triomphante, elle avait dressé la tête. J'en eus froid dans le dos, tout à coup. Tout cela n'était évidemment qu'un tissu d'absurdités. Cette femme était un tantinet piquée. Et pourtant...

Thyrza Grey se mit brusquement à rire :

— Vous ne me croyez pas, n'est-ce pas ?

— C'est une théorie fascinante, miss Grey, tout à fait au goût du jour, je le reconnais. Mais comment comptez-vous stimuler ce désir de mort qui nous habite tous ?

— Ça, c'est mon secret. De quelle façon ? Par quels moyens ? On peut très bien communiquer sans qu'il y ait contact. Pensez à la télégraphie sans fil, au radar, à la télévision... Les expériences extrasensorielles n'ont pas été aussi poussées qu'on pouvait l'espérer parce qu'on n'en avait pas saisi le simple principe de base. Vous pouvez parfois obtenir ce contact par hasard, mais à partir du moment où vous comprenez comment il s'établit, vous pouvez le réitérer à volonté...

— Et vous, vous le pouvez?

Elle ne répondit pas tout de suite. Mais, en se détournant, elle dit :

— Vous ne pouvez pas me demander, Mr Easterbrook, de vous livrer tous mes secrets.

Je la suivis en direction de la porte du jardin.

— Pourquoi m'avez-vous raconté tout ça? lui demandai-je.

— Parce que vous appréciez mes livres. Et puis, quelquefois, on éprouve le besoin de... eh bien de parler à quelqu'un. Par ailleurs...

— Oui?

— J'ai dans l'idée — et Bella aussi — que vous... pourriez avoir besoin de nous.

— *Besoin* de vous?

— Bella pense que vous êtes venu ici... pour nous trouver. Et elle se trompe rarement.

— Et pourquoi aurais-je voulu « vous trouver », comme vous dites?

— Ça, répondit doucement Thyrza Grey, c'est ce que j'ignore encore... pour l'instant.

7

RÉCIT DE MARK EASTERBROOK

— Alors, te voilà enfin, Mark! Nous nous demandions où vous étiez passés tous les deux, s'exclama Rhoda qui entrait, suivie des autres. C'est ici que vous organisez vos séances, n'est-ce pas? demanda-t-elle en regardant autour d'elle.

— Vous êtes très bien informée, répondit Thyrza Grey en riant. Dans un village, tout le monde est plus que vous-même au courant de vos propres affaires. Il paraît que nous avons une réputation sinistre tout à fait épatante. Il y a cent ans, ç'aurait été le bûcher. Ma grand-grand-tante — ou encore un ou deux « grand » en plus — a été brûlée comme sorcière, en Irlande je crois. C'était comme ça, à l'époque !

— Je vous croyais écossaise ?

— Du côté de mon père — de là mon don de double vue. Mais irlandaise du côté de ma mère. Sybil est notre pythonisse, d'origine grecque. Bella représente la vieille Angleterre.

— Macabre cocktail humain, remarqua le colonel Despard.

— Comme vous dites.

— Très drôle ! fit observer Ginger.

Thyrza lui lança un rapide regard :

— Dans un sens, oui. Dans un de vos prochains romans, ajouta-t-elle à l'adresse de Mrs Oliver cette fois, vous devriez prendre comme sujet un meurtre par magie noire. Je vous fournirais un tas de tuyaux.

Mrs Oliver battit des paupières et parut embarrassée.

— Je ne traite que de crimes très simples, se récusa-t-elle, comme elle aurait dit : « Je ne fais que de la cuisine très simple. » Il n'est jamais question chez moi que de gens qui veulent se débarrasser d'un importun et qui s'efforcent de le faire intelligemment.

— En général, ils sont trop intelligents pour moi, grommela le colonel Despard.

Il jeta un coup d'œil à sa montre :

— Rhoda, je crois que...

— Oui, oui, il faut partir. Il est beaucoup plus tard que je ne pensais.

Nous échangeâmes des adieux et des remerciements. Puis, sans la traverser, nous contournâmes la maison jusqu'à un portail.

— Vous élevez des quantités de volailles, dites-moi ! commenta le colonel Despard qui regardait un enclos entouré de treillis.

— Je déteste les poules, intervint Ginger. Elles ont une façon tellement exaspérante de glousser.

— La plupart sont des coqs, marmonna Bella qui venait d'apparaître par une porte de service.

— De jolis petits coqs blancs, précisai-je.

— Destinés à la casserole? demanda Despard.

— Ils ont leur utilité, grommela Bella d'un air entendu.

Sa bouche s'élargit en une longue ligne courbe qui traversa son visage rondelet et informe.

— C'est le domaine réservé de Bella, précisa Thyrza d'un ton léger.

Nous fîmes nos adieux et Sybil Stamfordis apparut par la porte principale pour contribuer à hâter notre départ.

— Je n'aime pas cette femme, déclara Mrs Oliver quand nous fûmes en route. Je ne l'aime *pas du tout*.

— Bah! il ne faut pas prendre cette brave vieille Thyrza trop au sérieux, répliqua Despard avec indulgence. Elle adore débiter toutes ces histoires pour voir l'effet qu'elles produisent.

— Je ne pensais pas à elle. C'est une femme sans scrupules, qui ne perd pas de vue ses intérêts. Mais elle n'est pas dangereuse comme l'autre.

— Bella? Elle est un peu inquiétante, je le reconnais.

— Je ne pensais pas à elle non plus. Je voulais parler de la dénommée Sybil. Elle se donne des airs de demeurée. Tous ces voiles, ces colliers, tout ce ramassis de culture vaudou et toutes ces histoires de réincarnation qu'elle nous a racontées. (D'ailleurs, comment se fait-il qu'aucun vieux paysan difforme, aucune fille de cuisine laide à faire peur ne se soient jamais réincarnés? Non, ce sont toujours des princesses égyptiennes ou de belles esclaves babyloniennes. C'est louche.) Quoi qu'il en soit, stupide ou pas, j'ai le sentiment qu'elle est réellement capable de faire des choses... de provoquer de drôles de choses. Je m'exprime toujours mal... je veux dire qu'elle peut être utilisée... par quelque chose... d'une certaine façon, justement à cause de sa bêtise. Je suppose que personne n'a rien compris à ce que je veux dire, conclut-elle d'un ton pitoyable.

— Moi si, affirma Ginger. Et cela ne m'étonnerait pas que vous ayez raison.

— Nous devrions vraiment assister à l'une de leurs séances, proposa Rhoda, rêveuse. Ce serait peut-être très amusant.

— Pas question que tu y ailles, riposta fermement Despard. Je ne veux pas voir ma femme mêlée à ce genre de simagrées.

Ils se mirent à discuter en riant. Je ne m'arrachai à mes réflexions qu'en entendant Mrs Oliver demander les heures de train pour le lendemain matin.

— Je peux vous ramener en voiture, lui proposai-je.

Mrs Oliver parut dubitative :

— Je crois que je ferais mieux de prendre le train.

— Allons donc! Vous êtes déjà montée en voiture avec moi. Je suis le plus fiable des chauffeurs.

— Il ne s'agit pas de ça, Mark. Mais je dois aller à un enterrement, demain, et il ne faut pas que j'arrive trop tard en ville. J'ai *horreur* d'aller aux enterrements, ajouta-t-elle en soupirant.

— C'est une obligation?

— Dans le cas présent, c'en est une. Mary Delafontaine était une vieille amie, et je crois qu'elle aurait voulu que j'y aille. C'était assez son genre.

— Mais bien sûr! m'exclamai-je. Delafontaine... bien sûr!

Surpris, les autres me dévisagèrent.

— Excusez-moi, balbutiai-je. C'est seulement que... eh bien, je me demandais où j'avais entendu ce nom de Delafontaine récemment. C'était vous qui m'en aviez parlé, n'est-ce pas, poursuivis-je en m'adressant à Mrs Oliver. Vous avez évoqué une visite que vous lui aviez rendue à l'hôpital.

— Vraiment ? C'est bien possible.

— De quoi est-elle morte ?

Mrs Oliver plissa le front :

— Polynévrite toxique... ou quelque chose comme ça.

Ginger me dévisageait d'un œil pénétrant.

En descendant de voiture, je déclarai brusquement :

— Je crois que je vais aller me dégourdir les jambes. On a tant mangé ! Ce merveilleux déjeuner, et ce thé par-dessus le marché... Il faut faire passer ça.

Je m'éloignai sur-le-champ, sans laisser à personne le temps de m'offrir sa compagnie. Je tenais absolument à rester seul pour mettre de l'ordre dans mes idées.

De quoi s'agissait-il ? Je voulais au moins éclaircir la situation pour moi. Tout avait commencé, n'est-ce pas, par la remarque de Poppy, fortuite mais surprenante, selon laquelle, si vous désiriez vous « débarrasser de quelqu'un », il suffisait d'aller au *Cheval pâle*.

Ensuite de quoi j'avais rencontré Jim Corrigan et sa liste de « noms », liée à la mort du père Gorman. Sur cette liste figurait celui de Hesketh-Dubois et celui de Tuckerton, ce qui m'avait ramené à cette soirée au bistrot de Luigi. Elle comportait aussi le nom de Delafontaine, qui m'était vaguement familier. Il avait été prononcé par Mrs Oliver à propos d'une amie malade. Et maintenant, l'amie malade était morte.

Après ça, pour une raison que je m'expliquais mal, j'étais allé défier Poppy dans son décor floral. Poppy avait nié avec véhémence connaître un endroit dénommé le *Cheval pâle*. Plus significatif encore, Poppy était visiblement effrayée.

Et aujourd'hui, il y avait eu Thyrza Grey.

Sans aucun doute, le *Cheval pâle* et ses locataires étaient une chose, et la liste de noms une autre, sans rapport entre elles. Pourquoi diable étaient-

90

elles accouplées dans mon esprit ? D'où avais-je tiré qu'il pouvait y avoir le moindre lien entre elles ?

Mrs Delafontaine vivait probablement à Londres. Thomasina Tuckerton quelque part dans le Surrey. Sur cette liste, personne n'avait de lien avec le petit village de Much Deeping. À moins que...

J'arrivais juste à la hauteur du *King's Arm*. Le *King's Arm* était un véritable pub, d'aspect luxueux, avec les mots Déjeuners, Dîners et Thé fraîchement peints.

Je poussai la porte et entrai. Le bar, qui n'était pas encore ouvert, se trouvait à ma gauche, et à ma droite, une petite salle qui sentait le tabac refroidi. Près de l'escalier, un écriteau portait la mention *Bureau*. Le bureau se résumait pour l'instant à une porte en verre solidement fermée et à une indication : *Sonner*. L'endroit avait cet air abandonné qu'ont tous les pubs à ce moment de la journée. Sur une étagère, près de la porte du bureau, je trouvai un vieux registre en mauvais état. Je l'ouvris et le feuilletai. Les clients n'étaient pas nombreux. Cinq ou six par semaine, et la plupart pour une nuit seulement. Je revins en arrière pour lire les noms.

Je ne fus pas long à le refermer. Il n'y avait toujours personne. Et, en vérité, au stade où j'étais, je n'avais aucune question particulière à poser. Je sortis donc dans la douceur humide de l'après-midi.

Était-ce simple coïncidence si un dénommé Sandford et un autre dénommé Parkinson avaient couché au *King's Arm* cette année ? Deux noms qui se trouvaient sur la liste de Corrigan. Oui, mais ces noms n'étaient pas rares. Cependant j'en avais noté un autre... celui de Martin Digby. S'il s'agissait du Martin Digby que je connaissais, c'était le petit neveu de la femme que j'avais toujours appelée Tante Min... lady Hesketh-Dubois.

Je marchai à grands pas, sans savoir où j'allais. Il

fallait absolument que je parle à quelqu'un. À Jim Corrigan. Ou à David Ardingly. Ou à Hermia, avec son solide bon sens. J'étais seul face à mes pensées chaotiques, et je ne voulais pas être seul. Pour dire la vérité, j'aurais voulu pouvoir discuter avec quelqu'un de ce qui me venait à l'idée.

Au bout d'une demi-heure de marche dans des chemins boueux, je me retrouvai enfin devant le presbytère. Je grimpai un chemin particulièrement mal entretenu jusqu'à la porte et tirai la cloche rouillée.

★

— Elle ne sonne pas, déclara Mrs Dane Calthrop, qui était apparue sur le seuil avec la soudaineté d'un génie malicieux.

C'était ce que je soupçonnais, en effet.

— On l'a déjà réparée dix fois, reprit Mrs Dane Calthrop, mais cela ne tient jamais. Aussi dois-je perpétuellement rester sur le qui-vive, au cas où il s'agirait de quelque chose d'important. Et avec vous, c'est important, non ?

— C'est... eh bien oui, c'est important... pour moi, veux-je dire.

— C'est ce que je voulais dire aussi, répliqua-t-elle en me regardant d'un air songeur. Oui, ça va mal, c'est clair... Qui voulez-vous voir ? Le pasteur ?

— Je... Je n'en suis pas sûr...

C'était bien le pasteur que j'étais venu voir, mais maintenant, de façon tout à fait inattendue, j'étais pris d'un doute. Je ne savais pas pourquoi. Mais Mrs Dane Calthrop m'éclaira aussitôt :

— Mon mari est un très brave homme. Indépendamment de sa charge de pasteur, j'entends. Ce qui rend parfois les rapports difficiles. Les gens réellement bons, vous savez, ne comprennent pas vraiment le mal. Je pense qu'il vaut mieux que vous vous adressiez à moi, ajouta-t-elle brusquement après un silence.

— Le mal, c'est votre domaine ? demandai-je avec un léger sourire.

— Oui, c'est ça. Dans une paroisse, il est important de tout connaître à propos des... eh bien... des péchés variés qui s'y commettent.

— Mais le péché, n'est-ce pas la spécialité de votre mari ? Sa raison d'être officielle, pour ainsi dire ?

— Le pardon des péchés, corrigea-t-elle. Il peut donner l'absolution. Moi, je ne peux pas. Mais moi, continua Mrs Dane Calthrop avec une franche gaieté, je peux quantifier les péchés et les classifier pour lui. Quand on a connaissance d'un péché, on peut éviter à d'autres d'en souffrir. Mais on ne peut pas aider le pécheur lui-même. Moi, je ne peux pas, par exemple. Seul Dieu peut appeler au repentir, comme vous le savez — ou comme vous ne le savez peut-être pas. Beaucoup de gens l'ignorent, aujourd'hui.

— Je ne suis pas de taille à entrer en concurrence avec un expert tel que vous, répliquai-je, mais je voudrais effectivement empêcher certaines personnes de souffrir.

Elle me jeta un rapide regard :

— Alors, c'est donc ça ? Entrez et installons-nous confortablement.

Le salon était grand et assez misérable. Un énorme massif d'arbustes, que personne ne paraissait avoir eu le courage d'émonder, lui faisait de l'ombre. Mais pour Dieu sait quelle raison, cette obscurité n'avait rien de triste. Au contraire, elle était accueillante. Les grands fauteuils râpés portaient l'empreinte de tous les corps qui y avaient pris place au cours des années. Sur la cheminée, une grosse pendule tictaquait avec une pesante et agréable régularité. Ici, on trouverait toujours le temps de parler, de dire ce que l'on avait à dire, de se reposer des soucis de l'extérieur.

Je sentais qu'ici des filles en larmes avaient avoué être des mères en perspective, avaient confié leurs problèmes à Mrs Dane Calthrop et reçu en retour des conseils, sinon très orthodoxes, du moins pleins de bon sens ; ici, des gens furieux s'étaient soulagés de leur ressentiment envers leur belle-famille ; ici, des mères avaient expliqué que leur Bob n'était pas un mauvais garçon, qu'il était seulement un peu fougueux, et que l'envoyer au loin dans un centre d'éducation surveillée était une absurdité ; ici, des maris et des femmes avaient exposé leurs démêlés conjugaux...

Et moi, Mark Easterbrook, personnage cultivé, écrivain, homme du monde, j'étais là, face à une femme aux cheveux gris, au teint hâlé et aux yeux superbes, prêt à me laisser aller dans son giron. Pourquoi ? Je n'en savais rien. J'avais simplement l'étrange certitude que c'était la personne indiquée.

— Nous venons de prendre le thé chez Thyrza Grey, commençai-je.

Il n'était jamais difficile d'expliquer les choses à Mrs Dane Calthrop. Elle bondissait à votre rencontre :

— Ah ! je vois. Et cela vous a tourneboulé ? Je reconnais que ces trois-là, cela fait un peu beaucoup à avaler. Elles m'ont étonnée moi-même. Elles fanfaronnent tellement. En règle générale, d'après mon expérience, les vrais méchants ne font pas étalage de leur méchanceté. Ils la tiennent cachée, au contraire. C'est quand vos péchés sont plutôt anodins que vous brûlez d'envie d'en parler. Le péché est une petite chose si misérable, si mesquine, si répugnante, qu'on éprouve le besoin d'en faire une montagne. Les sorcières de village sont pour la plupart de vieilles radoteuses malfaisantes qui adorent effrayer leur monde et obtenir ainsi quelque chose à partir de rien. Facile comme bonjour, bien sûr. Si les poulets de Mrs Brown meurent, tout ce que vous avez à faire c'est de hocher la tête et de déclarer d'un air sombre : « Pardi ! son Billy a cherché noise à mon Minou mardi dernier. » Bella Webb n'est peut-être qu'une sorcière de ce genre. Mais il est possible, je dis bien *possible*, qu'elle soit plus que ça... quelque chose

94

qui remonte à la nuit des temps et qui réapparaît par moments, dans les campagnes. C'est effrayant parce qu'il s'agit alors de véritable malveillance et non du simple désir d'en imposer. Sybil Stamfordis est l'une des femmes les plus bêtes que j'aie jamais rencontrées, mais c'est vraiment un médium, quoi qu'il puisse se cacher sous ce nom. Thyrza... je n'en sais rien. Qu'est-ce qu'elle vous a dit ? C'est bien ses propos qui vous ont inquiété, n'est-ce pas ?

— Vous avez beaucoup d'expérience, Mrs Dane Calthrop. D'après tout ce que vous savez, ou d'après ce que vous avez entendu dire, pensez-vous qu'un être humain puisse être détruit à distance, sans aucun lien visible, par un autre être humain ?

Mrs Dane Calthrop écarquilla quelque peu les yeux :

— Quand vous dites « détruit », vous entendez, j'imagine, *tué ?* Au sens purement physique du terme ?

— Oui.

— À mon avis, c'est une absurdité, répliqua fermement Mrs Dane Calthrop.

— Ah ! fis-je, soulagé.

— Mais, évidemment, je peux me tromper, reprit-elle. Mon père considérait que la navigation aérienne était une absurdité, et mon arrière-grand-père estimait probablement que le chemin de fer en était une autre. Ils avaient raison tous les deux. À leur époque, c'était en effet impossible. Mais ça ne l'est plus aujourd'hui. Qu'est-ce que Thyrza prétend faire ? Elle active un rayon de la mort ou quoi ? Ou est-ce qu'elles dessinent toutes les trois des étoiles à cinq branches en formulant un vœu ?

Je souris :

— Vous avez l'art de remettre les choses à leur place... J'ai dû laisser cette femme m'hypnotiser.

— Oh ! non, vous n'êtes pas le genre. Il ne doit pas être commode de vous suggestionner. Mais il doit y avoir eu quelque chose d'autre. Quelque chose qui est arrivé d'abord. Avant tout ça.

— Vous avez tapé dans le mille, répondis-je.

Je lui racontai alors, aussi simplement que possible, avec un minimum de mots, l'assassinat du père Gorman et la mention faite en passant, dans la boîte de nuit, du *Cheval pâle*. Puis je sortis de ma poche la liste des noms que j'avais copiée sur celle que m'avait montrée le Dr Corrigan.

Mrs Dane Calthrop la regarda, sourcils froncés :

— Je vois... Et tous ces gens, qu'est-ce qu'ils ont en commun ?

— Nous ne le savons pas au juste. Peut-être un chantage, peut-être la drogue...

— Ridicule, répliqua Mrs Dane Calthrop. D'ailleurs, ce n'est pas ce qui vous inquiète. En réalité, vous avez la conviction qu'*ils sont tous morts*.

Je poussai un profond soupir :

— Oui, c'est bien ce que je pense. Mais à vrai dire je n'en sais rien. Trois d'entre eux sont morts. Minnie Hesketh-Dubois, Thomasina Tuckerton et Mary Delafontaine. Toutes les trois sont mortes dans leur lit, de causes naturelles. Exactement selon la description de Thyrza Grey.

— Vous voulez dire qu'elle prétendait avoir elle-même *provoqué* ces décès ?

— Non, non. Elle ne parlait de personne en particulier. Elle expliquait seulement que c'était scientifiquement possible.

— Ce qui, à première vue, paraît absurde, répliqua Mrs Dane Calthrop rêveusement.

— Je le sais bien. Je me serais contenté de répondre poliment et d'en rire en moi-même s'il n'y avait pas eu cette curieuse allusion au *Cheval pâle*.

— Oui, convint Mrs Dane Calthrop toujours songeuse. Le *Cheval pâle*. C'est éloquent.

Elle resta silencieuse un moment puis redressa la tête.

— Cela sent mauvais, déclara-t-elle. Très mauvais. Quoi qu'il y ait derrière tout ça, il faut y mettre un terme. Mais je ne vous apprends rien.

— Non, bien sûr... mais que peut-on faire ?

— Ça, c'est à vous de le découvrir. Mais il n'y a pas de temps à perdre. Il faut que vous vous y atteliez tout de suite, ajouta-t-elle en se levant, prête à l'action. Vous n'avez pas d'ami qui pourrait vous aider?

Je réfléchis. Jim Corrigan? Un homme très occupé, un médecin disposant de peu de loisirs et qui faisait sans doute déjà tout ce qu'il pouvait. David Ardingly... il n'en croirait probablement pas un mot. Hermia? Oui, il y avait Hermia. Un esprit clair, d'une logique admirable. Un soutien inébranlable si on arrivait à s'en faire une alliée. Après tout, elle et moi... Je n'achevai pas ma phrase. Je sortais avec Hermia... Hermia était celle qu'il me fallait.

— Vous pensez à quelqu'un? Parfait.

Mrs Dane Calthrop menait les choses rondement :

— Je vais les tenir à l'œil, vos trois sorcières. Mais j'ai quand même l'impression que, d'une façon ou d'une autre, ce ne sont pas elles qui détiennent la réponse. C'est comme quand la Stamfordis nous sert ses idioties de mystères égyptiens ou de prophéties des textes des Pyramides. Elle ne raconte que des balivernes, mais cela n'empêche pas qu'il existe bel et bien des textes, des Pyramides et des mystères dans les temples. Je ne peux pas me défaire de l'idée que Thyrza Grey a eu vent de menées quelconques, qu'elle a trouvé de quoi il s'agissait et qu'elle s'en sert comme d'une espèce de salmigondis abracadabrant pour se faire mousser et faire mousser ses pouvoirs occultes. Les gens sont tellement fiers de leur méchanceté. C'est bizarre, vous ne trouvez pas, qu'ils ne se vantent jamais de leur bonté? C'est sans doute dû à l'humilité chrétienne. Quand ils sont bons, ils ne le savent même pas.

Elle resta silencieuse un moment.

— Ce dont nous avons réellement besoin, décréta-t-elle enfin, c'est d'un lien quelconque.

D'un lien entre ces noms et le *Cheval pâle*. De quelque chose de tangible.

8

En entendant siffler dehors l'air bien connu de *Father O'Flynn,* l'inspecteur Lejeune leva la tête. Le Dr Corrigan apparut.

— Désolé de vous décevoir tous, annonça ce dernier, mais le conducteur de cette Jaguar n'avait pas un gramme d'alcool dans le sang. Ce que l'agent Ellis a senti dans son haleine devait se trouver dans la sienne, ou dans son imagination.

Mais, à ce moment-là, Lejeune ne s'intéressait pas le moins du monde à la routine quotidienne des infractions au code de la route.

— Entrez et lisez ça, dit-il.

Corrigan prit la lettre qu'il lui tendait. L'écriture en était petite et claire. L'en-tête était la suivante : *Everest, Glendower Close, Bournemouth.*

Cher inspecteur Lejeune,

Vous vous rappelez sans doute que vous m'avez demandé de me mettre en rapport avec vous s'il m'arrivait de tomber sur l'homme qui suivait le père Gorman la nuit où il a été tué. J'ai surveillé les environs de mon établissement sans jamais plus l'apercevoir.

Cependant, hier, je me suis rendu à une fête paroissiale, dans un village qui se trouve à environ 30 kilomètres d'ici. Ce qui m'avait attiré, c'était le fait que Mrs Oliver, l'écrivain bien connu de romans policiers, devait y signer ses propres livres. Je suis grand lecteur de romans policiers et j'étais très curieux de voir cette dame.

Mais à ma grande surprise, ce que je vis, c'est l'homme qui était passé devant chez moi la nuit où le père Gorman a été tué. Depuis, il a dû avoir un accident, car il se propulsait dans un fauteuil roulant. Je me suis renseigné discrètement sur lui, et j'ai appris qu'il se nommait Venables et résidait dans la région, à Priors Court, Much Deeping. Il a la réputation d'être très riche.

En espérant que ces quelques détails vous seront utiles, je vous prie de croire...

Zacharias Osborne

— Eh bien ? demanda Lejeune.

— Ça paraît très improbable, répondit Corrigan sans enthousiasme.

— À première vue, peut-être. Mais je n'en suis pas si sûr.

— Ce type, cet Osborne... il ne peut pas avoir distingué quelqu'un clairement dans une nuit de brouillard pareille. Il doit s'agir d'une ressemblance due au hasard. Vous savez comment sont les gens. Ils appellent de tous les coins du pays pour dire qu'ils ont vu la personne qu'on recherche, et neuf fois sur dix celle-ci ne ressemble même pas à la description qu'on en avait faite.

— Osborne n'est pas comme ça, répliqua Lejeune.

— Comment est-il ?

— C'est un sémillant petit pharmacien, tout ce qu'il y a de convenable. Il a de la personnalité et c'est un grand observateur du genre humain. Le rêve de sa vie serait d'identifier et de confondre une empoisonneuse qui aurait acheté son arsenic chez lui.

Corrigan éclata de rire :

— Voilà l'exemple on ne peut plus clair de quelqu'un qui prend ses désirs pour des réalités.

— Peut-être.

Corrigan le regarda avec curiosité :

— Alors, vous pensez qu'il pourrait y avoir quelque chose là-dedans ? Qu'avez-vous l'intention de faire ?

— De toute façon, il n'y a aucun mal à enquêter discrètement sur ce Mr Venables de... de Priors Court, Much Deeping, ajouta-t-il après un coup d'œil à la lettre.

9

RÉCIT DE MARK EASTERBROOK

— Il s'en passe des choses passionnantes à la campagne! s'exclama Hermia avec légèreté.

Nous avions fini de dîner. Nous étions attablés devant une cafetière.

Je la regardai. Les mots qu'elle avait prononcés n'étaient pas exactement ceux que j'attendais. J'avais passé le dernier quart d'heure à lui raconter mon histoire. Elle m'avait écouté avec intelligence et intérêt. Mais sa réponse n'était pas du tout conforme à ce que je pensais entendre. Elle n'avait l'air ni choquée ni remuée. Pleine d'indulgence, tout au plus.

— Les gens qui prétendent que la campagne est ennuyeuse et la ville fourmillante d'événements passionnants ne savent pas de quoi ils parlent, poursuivit-elle. Les dernières sorcières se sont mises à l'abri dans une maison en ruine, des jeunes gens décadents célèbrent des messes noires dans des demeures isolées. La superstition bat son plein dans des hameaux retirés. Des vieilles filles d'un âge plus que certain font tintinnabuler de faux scarabées et organisent des séances de spiritisme avec des planchettes qui courent de façon horrifiante sur des feuilles de papier noir. On pourrait vraiment écrire une série d'articles très amusants là-dessus. Cela ne vous tente pas?

— Il me semble que vous n'avez pas très bien compris ce que je vous ai raconté, Hermia.

— Mais bien sûr que si, Mark! Tout cela est prodigieusement intéressant. C'est une page d'Histoire, c'est tout ce qui survit des traditions oubliées du Moyen Âge.

— Ce n'est pas le côté historique qui m'intéresse, répliquai-je, agacé. Je m'intéresse aux faits. À une liste de noms sur une feuille de papier. Je sais ce qui est arrivé à quelques-uns de leurs détenteurs. Que va-t-il arriver, ou qu'est-il arrivé aux autres?

— Est-ce que vous ne vous laissez pas entraîner un peu trop loin?

— Non, affirmai-je, obstiné. Je ne pense pas. Je crois que la menace est réelle. Et je ne suis pas le seul à le croire. La femme du pasteur est d'accord avec moi.

— Oh, la femme du pasteur! s'exclama Hermia avec mépris.

— Non, ne dites pas « la femme du pasteur » de cette façon! C'est une femme exceptionnelle. Toute cette histoire est bien réelle, Hermia.

Hermia haussa les épaules :

— Peut-être.

— Mais vous ne le pensez pas?

— Je pense que vous vous laissez emporter par votre imagination, Mark. Je ne suis même pas sûre que vos vieilles chouettes y croient elles-mêmes. Ce dont je suis convaincue, en revanche, c'est que ce sont effectivement d'abominables vieilles chouettes!

— Mais pas vraiment menaçantes?

— Voyons, Mark, comment pourraient-elles l'être?

Je restai silencieux un moment. Mon esprit vacillait de la lumière à l'obscurité, et vice versa. L'obscurité du *Cheval pâle*, la lumière incarnée par Hermia. Une bonne lumière, dispensée par une ampoule solidement fichée dans sa douille, qui éclairait tous les coins sombres. Et il n'y avait rien là, rien du tout, à part les objets usuels qu'on a l'habitude de trouver dans une pièce. Mais cependant... cependant... aussi claires que les choses pouvaient paraître dans l'éclairage Hermia, il s'agissait quand même, après tout, d'une lumière artificielle.

Mon esprit retourna en arrière, résolument, obstinément :

— Je veux vérifier tout ça, Hermia. Aller au fond des choses.

— Je suis d'accord. Vous devriez, en effet. Cela pourrait être très intéressant. Et en fait, assez amusant.

— Non, pas amusant ! répliquai-je vivement.

Je poursuivis :

— Je voulais vous demander, Hermia, si vous accepteriez de m'aider.

— De vous aider ? Mais de quelle façon ?

— Dans mon enquête. M'aider à faire le grand plongeon pour voir ce dont il s'agit.

— Mais Mark, mon cher, je suis terriblement occupée en ce moment. Je dois pondre cet article pour le *Journal*. Et puis il y a cette histoire à propos de Byzance. Et j'ai promis à deux de mes étudiants...

Elle continua ainsi, pratique et raisonnable. Je l'écoutai à peine.

— Je comprends, dis-je. Vous avez déjà trop de pain sur la planche.

— Exactement, répondit-elle, visiblement soulagée.

Elle me sourit. Cette fois encore, je fus frappé par son expression indulgente. Celle avec laquelle une mère pourrait regarder son bambin absorbé dans un nouveau jeu.

Bon Dieu de bois ! Je n'étais pas un gamin. Je ne cherchais pas une mère, et certainement pas ce genre de mère-là. Ma propre mère était une personne charmante et désarmée ; tous ceux qui l'approchaient, y compris son fils, se faisaient un plaisir de la prendre sous leur protection.

Je contemplai Hermia avec indifférence.

Si belle, si mûre, si intelligente, si cultivée! Et si... comment dire?... Oui... si abominablement ennuyeuse!

★

Le lendemain matin, j'essayai sans succès de mettre la main sur Jim Corrigan. Je lui laissai cependant un message pour l'inviter à venir prendre un verre chez moi entre 6 et 7. Je le savais très occupé et ne pensais pas qu'il pourrait s'arranger pour se libérer dans un si court délai, mais il apparut bel et bien à 7 heures moins 10 environ. Pendant que je lui préparais un whisky, il fit le tour de mes tableaux et de mes livres. Finalement, il me signala qu'il ne verrait pas d'inconvénient à être empereur mongol lui aussi plutôt que médecin débordé et perpétuellement sous pression.

— Quoique, soupira-t-il en prenant place dans un fauteuil, ils aient beaucoup souffert à cause des femmes. J'ai au moins échappé à ça.

— Tu n'es pas marié, alors?

— Pas de danger. Et toi non plus, d'ailleurs, si j'en juge par l'agréable désordre dans lequel tu vis. Une femme t'aurait rangé tout ça en moins de deux.

Je lui répliquai qu'à mon avis, les femmes n'étaient pas aussi épouvantables qu'il voulait bien le dire. Puis je m'installai avec mon verre en face de lui.

— Tu te demandes sûrement pourquoi je voulais mettre la main sur toi de toute urgence, commençai-je. En fait, il s'est passé quelque chose qui pourrait bien avoir un rapport avec la discussion que nous avons eue la dernière fois que nous nous sommes rencontrés.

— De quoi s'agissait-il? Ah! oui. De l'affaire du père Gorman.

— Oui. Mais dis-moi d'abord, est-ce que les mots « Cheval pâle » signifient pour toi quelque chose?

— *Cheval pâle*... Cheval pâle... Non, je ne pense pas. Pourquoi?

— Parce qu'il est possible que cela ait un rapport avec la liste de noms que tu m'as montrée. Des amis m'ont emmené à la campagne, dans le lieu-dit Much Deeping, et dans un vieux pub, ou dans ce qui fut un pub, du nom de *Cheval pâle*.

— Attends un peu! Much Deeping? Much Deeping... C'est quelque part du côté de Bournemouth?

— À une vingtaine de kilomètres environ.

— Est-ce que, par hasard, tu n'aurais pas rencontré un certain Venables dans le coin?

— Si, tout juste.

— Si? répéta Corrigan qui, dans sa surexcitation, se leva. Décidément, tu sais choisir les endroits que tu fréquentes! À quoi ressemble-t-il?

— C'est un homme très remarquable.

— Vraiment? Vraiment? Remarquable à quel point de vue?

— Surtout par la force de sa personnalité. Bien qu'il soit infirme à cause de la polio...

Corrigan m'interrompit vivement:

— De *quoi*?

— Il a eu la polio il y a quelques années. Il est paralysé depuis la taille.

Corrigan se laissa retomber dans son fauteuil d'un air dégoûté:

— Ça change tout! Je me disais aussi que c'était trop beau pour être vrai!

— Qu'est-ce que tu racontes? Je ne comprends pas.

— Il faut que tu voies l'inspecteur Lejeune. Il s'intéressera beaucoup à ton histoire. Quand Gorman a été tué, Lejeune s'est renseigné auprès de tous ceux qui l'avaient vu dans la rue, ce soir-là. Comme d'habitude, la plupart des réponses ne présentaient pas le moindre intérêt. Mais il y avait un pharmacien, dans le coin, qui avait vu passer Gorman devant son officine, et qui avait également vu un homme le suivre de près. Bien entendu, il n'y avait rien trouvé de louche sur le moment. Mais il avait décrit l'individu avec une grande précision et il était sûr et certain de le reconnaître s'il le rencontrait de nouveau. Bon, il y a deux jours, voilà que Lejeune a reçu une lettre d'Osborne. Il s'est retiré des affaires et vit à Bournemouth. Il a assisté à je ne sais quelle fête dans la région et prétend avoir vu là-bas l'homme en question, qui assistait également à la fête dans un fauteuil roulant. Osborne a demandé qui c'était et on lui a répondu qu'il s'appelait Venables.

Il me regarda d'un air interrogateur. Je hochai la tête :

— C'est bien ça. C'était Venables. Il était à la fête. Mais il ne peut pas être celui qui suivait le père Gorman dans une rue de Paddington. C'est physiquement impossible. Osborne a dû faire une erreur.

— Il l'avait décrit avec beaucoup de précision. Taille 1,85 mètre, nez en bec d'aigle et pomme d'Adam proéminente. C'est juste ?

— Oui. C'est le portrait de Venables. N'empêche...

— Je sais. Mr Osborne n'est peut-être pas aussi physionomiste qu'il le croit. De toute évidence, il a été induit en erreur par une ressemblance fortuite. Mais c'est quand même troublant que tu viennes me parler justement de cette région et de je ne sais quel Cheval pâle. Qu'est-ce au juste que ce Cheval pâle ? Raconte.

Je le prévins :

— Tu ne le croiras pas. Je n'arrive même pas à y croire moi-même.

— Allez. Vas-y.

Je lui fis part de ma conversation avec Thyrza Grey. Sa réaction fut immédiate :

— Ce sont des balivernes finies !

— N'est-ce pas ?

— Évidemment ! Mais qu'est-ce qui t'arrive,

Mark? Des coqs blancs... pour des sacrifices, sans doute! Une médium, une sorcière locale et une vieille fille capable d'expédier un rayon de la mort garanti fatal. C'est dingue, mon coco, absolument dingue!

— Oui, c'est dingue, acquiesçai-je bien volontiers.

— Oh! arrête de me donner raison, Mark. J'en retire l'impression qu'il pourrait y avoir du vrai dans ce que tu me racontes. C'est ce que tu crois, n'est-ce pas?

— Laisse-moi d'abord te poser une question. Cette idée que nous aurions tous un secret désir de mort a-t-elle un quelconque fondement scientifique?

Corrigan hésita un instant.

— Je ne suis pas psychiatre, répondit-il enfin. Tout à fait entre nous, je pense d'ailleurs que les trois quarts d'entre eux sont passablement timbrés eux-mêmes. Ils se gargarisent de théories fumeuses. Je te signale en passant que la police n'apprécie guère les experts médicaux auxquels la défense fait toujours appel pour excuser l'homme qui a tué une vieille femme sans défense histoire de lui piquer l'argent de sa caisse.

— Tu préfères ta théorie glandulaire?

Il sourit:

— D'accord. D'accord. Je suis un théoricien, moi aussi. Je le reconnais. Seulement, ma théorie sera fondée sur une bonne raison physique... si j'arrive à la démontrer un jour. Mais toutes ces histoires de subconscient! Peuh!

— Tu n'y crois pas?

— Bien sûr que j'y crois. Mais ces types-là vont beaucoup trop loin. Il y a quelque chose dans ce « désir de mort » inconscient, c'est évident, mais pas autant qu'ils le prétendent.

— Mais il existe? insistai-je.

— Tu ferais mieux d'aller t'acheter un livre de psychologie et de lire ce qu'on en dit.

— Thyrza Grey se targue de tout connaître sur le sujet.

— Thyrza Grey! répéta-t-il avec mépris. Qu'est-ce qu'une vieille fille inculte vivotant dans un village perdu peut avoir comme notions de psychologie?

— Elle prétend en savoir beaucoup.

— Balivernes, comme je te l'ai déjà dit.

— C'est ce que les gens ont toujours pensé des découvertes qui ne concordaient pas avec les idées reçues. Des coques de navire en acier? Balivernes! Des machines volantes? Balivernes! Des chauves-souris clouées sur les portes de grange...

Il m'interrompit:

— Alors tu as tout avalé, hameçon, ligne et bouchon compris?

— Pas du tout. Je cherchais seulement à comprendre s'il y avait une base scientifique à tout ça.

Corrigan ricana:

— Base scientifique, mon œil!

— Parfait. C'est le renseignement qu'il me fallait. Maintenant, de ton côté, dis-moi au moins où vous en êtes avec la liste des noms.

— La police y travaille d'arrache-pied, mais cela nécessite beaucoup de temps et d'activités de routine. Sans adresse et sans prénom, un nom n'est pas facile à retrouver, ou à identifier.

— Envisageons-le sous un autre angle. Je suis prêt à parier que récemment — mettons depuis un an ou un an et demi — *tous ces noms ont figuré sur un certificat de décès.* J'ai raison?

Il me regarda d'étrange façon:

— Tu as raison... dans la mesure où cela signifie quelque chose.

— La mort... c'est le point qu'ils ont tous en commun.

— Oui, mais ça n'a peut-être pas autant d'importance qu'il y paraît, Mark. Est-ce que tu as une idée du nombre de gens qui meurent chaque jour dans les îles Britanniques ? Et certains de ces noms sont très répandus, ce qui ne facilite pas les choses.

— Delafontaine, répliquai-je, Mary Delafontaine. C'est un nom plutôt rare, non ? Elle a été enterrée mardi dernier, si je ne me trompe.

Il me jeta un bref coup d'œil :

— Comment le sais-tu ? Tu l'as lu dans les journaux, je suppose ?

— C'est une amie à elle qui m'en a parlé.

— Il n'y a rien de louche dans sa mort, je peux au moins te dire ça. En fait, aucune de ces morts sur lesquelles la police a enquêté n'est douteuse. S'il s'était agi d'« accidents », on aurait pu avoir des soupçons. Mais ce sont des morts parfaitement normales : pneumonie, hémorragie cérébrale, tumeur au cerveau, calculs biliaires, un cas de polio... absolument rien de suspect.

Je hochai la tête :

— Ni accident ni poison. De simples maladies qui conduisent à la mort. Exactement comme Thyrza Grey le prétend.

— Est-ce que tu serais vraiment en train de suggérer que cette femme peut faire attraper, à quelqu'un qu'elle n'a jamais vu et qui se trouve à des kilomètres de là, une pneumonie dont il mourra ?

— Je ne suggère rien. Elle l'a fait. C'est fantastique, et j'aimerais penser que c'est impossible. Mais certains points sont vraiment curieux. D'abord l'allusion au *Cheval pâle*, à propos de l'élimination de personnes embarrassantes. Puis le fait qu'il existe en effet un endroit dénommé le *Cheval pâle*, et que la femme qui y vit se vante pratiquement de mener à bien une telle opération. Dans les environs habite un homme qu'on a positivement reconnu comme étant celui qui suivait le père Gorman le soir où il a été tué... le soir où il a été appelé au chevet d'une mourante que l'on a entendue parler « d'horreurs et d'atrocités ». Cela fait beaucoup de coïncidences, tu ne trouves pas ?

— L'homme ne pouvait pas être Venables puisque, d'après toi, il est paralysé depuis des années.

— D'un point de vue médical, ne serait-il pas possible que cette paralysie soit feinte ?

— Bien sûr que non. Ses membres doivent être atrophiés.

— Ça règle la question, reconnus-je en soupirant. Dommage. S'il existe vraiment... je ne sais comment l'appeler... une organisation spécialisée dans le « Débarras... d'Humains », Venables a exactement le genre de cerveau capable de la diriger. Ce qu'il a dans sa maison représente des sommes fantastiques. D'où tient-il cet argent ?

Je restai silencieux un moment, puis poursuivis :

— Tous ces gens qui sont morts dans leur lit — bien comme il faut —, d'une maladie quelconque, avaient-ils des héritiers qui ont tiré un profit de leur décès ?

— La mort profite toujours plus ou moins à quelqu'un. Mais aucune circonstance suspecte n'a été relevée, si c'est ce que tu veux dire.

— Pas tout à fait.

— Lady Hesketh-Dubois, comme tu le sais sans doute, a laissé environ 50 000 livres net à une nièce et à un neveu. Le neveu vit au Canada, la nièce est mariée et vit dans le nord de l'Angleterre. Ils sauront quoi faire de cet argent, tous les deux. Le père de Thomasina Tuckerton lui avait laissé une grosse fortune qui, si elle mourait célibataire avant sa majorité, devait revenir à sa belle-mère. La belle-mère a l'air d'une créature sans reproche. Quant à Mrs Delafontaine, elle laisse tout son argent à une cousine...

— Ah, oui. Et cette cousine ?

— Est au Kenya, avec son mari.

— Quelle merveille ! Tous absents, fis-je observer.

Corrigan me jeta un coup d'œil agacé :

— Des trois Sandford qui ont cassé leur pipe, l'un a laissé une femme beaucoup plus jeune que lui, qui s'est remariée... plutôt vite. Le défunt Sandford était un catholique romain, qui ne lui aurait certainement pas accordé le divorce. Et puis il y a un dénommé Sidney Harmondsworth, mort d'une hémorragie cérébrale, qui est soupçonné, par le Yard d'avoir augmenté ses revenus grâce à de discrets chantages. Sa disparition a dû soulager pas mal de gens haut placés.

— En fait, d'après ce que tu dis, ces morts ont toutes été particulièrement opportunes. Et Corrigan ?

Corrigan sourit :

— C'est un nom très répandu. Tout un tas de Corrigan sont morts, mais sans bénéfice particulier pour qui que ce soit, pour autant que nous le sachions.

— Voilà qui règle la question. Tu es la prochaine victime en perspective. Prends garde à toi.

— Entendu. Mais ne te mets pas dans la tête que ta sorcière d'Endor va abattre, avec un cancer du duodénum ou une grippe espagnole, un médecin endurci comme moi !

— Ecoute, Jim, j'ai l'intention de tirer au clair les prétentions de Thyrza Grey. Veux-tu m'y aider ?

— Non, je ne veux pas ! Je n'arrive pas à comprendre qu'un garçon aussi intelligent et cultivé que toi se fasse avoir par de pareilles balivernes.

Je soupirai :

— Tu ne pourrais pas utiliser un autre mot ? Je commence à être fatigué de celui-là.

— Ces fariboles, si tu préfères.

— Pas tellement.

— Tu es un garçon entêté, n'est-ce pas, Mark ?

— À en juger par ce que je vois, répondis-je, il faut bien que quelqu'un le soit !

10

Glendower Close était une voie à la conception toute nouvelle et qu'on achevait seulement de terminer. Elle formait un demi-cercle irrégulier, et une équipe d'ouvriers était encore au travail à son extrémité. À mi-chemin environ se dressait une barrière sur laquelle était inscrit : « Everest ».

Dans le jardin, on apercevait quelqu'un en train de planter des bulbes et l'inspecteur Lejeune reconnut sans difficulté, dans ce dos recourbé, Mr Zacharias Osborne. Il poussa la grille et entra. Mr Osborne se redressa pour voir qui pénétrait dans son domaine. Quand il eut identifié son visiteur, une rougeur de plaisir vint se surajouter à la couleur de son visage déjà empourpré par le soleil et l'effort. Sur ses terres, Mr Osborne était très semblable à Mr Osborne dans son officine de Londres. Il portait de grosses chaussures de marche et était en bras de chemise, mais ce léger débraillé ne lui enlevait rien de son apparence soignée. Sur son crâne bombé brillait une fine couche de sueur. Il l'épongea avec son mouchoir avant d'aller à la rencontre de son visiteur.

— Inspecteur Lejeune ! s'exclama-t-il, enchanté. C'est un honneur pour moi. Sincèrement, inspecteur. J'ai reçu vos remerciements pour ma lettre, mais je n'espérais pas vous voir en personne. Bienvenue dans mon modeste domaine. Bienvenue à l'Everest. Ce nom vous étonne, peut-être ? Je me suis toujours beaucoup intéressé à l'Himalaya. J'ai suivi chaque instant de l'expédition de l'Everest. Quel triomphe pour notre pays ! Sir Edmund Hillary... Quel homme ! Quelle endurance ! N'ayant jamais eu personnellement à souffrir du moindre inconfort, j'apprécie grandement le courage de ceux qui se préparent à escalader des montagnes encore inviolées, ou à naviguer à travers des banquises pour découvrir les secrets des pôles.

Mais entrez, je vous prie, venez avec moi prendre un rafraîchissement.

Mr Osborne conduisit Lejeune dans un petit pavillon, modèle de propreté mais assez chichement meublé.

— Ce n'est pas encore installé, expliqua Mr Osborne. Je me rends, chaque fois que je le peux, aux ventes aux enchères de la région. On peut s'y procurer de la bonne marchandise au quart du prix qu'on vous demanderait dans une boutique. Que puis-je vous offrir? Un verre de sherry? De la bière? Une tasse de thé? Je peux mettre la bouilloire en route en moins de deux.

Lejeune exprima sa préférence pour la bière.

— La voilà, déclara Mr Osborne en revenant quelques instants plus tard avec deux chopes d'étain pleines à ras bord. Asseyons-nous et reposons-nous. Everest. *Ever rest...* repos éternel. Ha! ha! Il y a un double sens au nom de ma maison. Je ne suis jamais l'ennemi d'un aimable jeu de mots.

Ayant sacrifié à ces civilités, Mr Osborne se pencha, plein d'espoir, vers l'inspecteur :

— Mes renseignements vous ont rendu service?

Lejeune s'efforça, autant que possible, d'adoucir le choc :

— Pas autant que nous l'aurions espéré, hélas!

— Ah! je vous avoue que je suis déçu. En réalité, je me rends bien compte qu'il n'y avait aucune raison pour qu'un monsieur marchant dans la même direction que le père Gorman ait été obligatoirement son assassin. Cela aurait été trop beau. D'autant plus, si j'ai bien compris, que ce Mr Venables est bien nanti et très respecté dans la région où il fréquente la meilleure société.

— Le fait est, repartit Lejeune, que cela ne peut pas être Mr Venables que vous avez vu ce soir-là.

Mr Osborne se redressa vivement :

— Oh! mais c'était bien lui. Cela ne fait pour moi aucun doute. Je reconnais toujours les visages.

— Je crains bien que vous ne vous soyez trompé

cette fois-ci, répliqua gentiment Lejeune. Voyez-vous, Mr Venables est une victime de la polio. Il est, depuis trois ans, paralysé à partir de la taille. Il ne peut pas se servir de ses jambes.

— La polio! s'exclama Mr Osborne. Mon Dieu, mon Dieu... Voilà qui semblerait en effet régler la question. Et pourtant... Pardonnez-moi, inspecteur Lejeune. J'espère que vous ne le prendrez pas mal. Mais est-ce vraiment le cas? Je veux dire, en avez-vous la certitude médicale?

— Oui, Mr Osborne. Nous l'avons. Mr Venables est patient de sir William Dugdale, de Harley Street, membre fort éminent de la profession médicale.

— Bien sûr, bien sûr. Membre de l'Académie royale de médecine. Très connu. Oh, seigneur! On dirait que j'ai fait un vrai fiasco. J'étais tellement sûr de moi! Et je vous ai dérangé pour rien.

— Ne le prenez pas trop à cœur, répliqua vivement Lejeune. Vos informations ont toujours de la valeur. De toute évidence, l'homme que vous avez vu doit ressembler de très près à Mr Venables — et comme Mr Venables a un physique assez peu commun, il s'agit de renseignements très importants. Il ne peut pas y avoir beaucoup de gens qui répondent à cette description.

— C'est vrai, c'est bien vrai, répondit Mr Osborne, un peu réconforté. Un criminel qui ressemblerait à Mr Venables... Il n'y en a certainement pas beaucoup. Dans les dossiers de Scotland Yard...

Il regarda l'inspecteur, plein d'espoir.

— Cela ne sera peut-être pas si simple que ça, remarqua lentement Lejeune. L'homme peut n'avoir jamais été fiché. Et de toute façon, comme vous le disiez il y a un instant, il n'y a pas de raison de penser qu'il ait quelque chose à voir avec l'agression du père Gorman.

Mr Osborne reprit son air accablé:

— Il faut m'excuser. J'ai peur d'avoir pris mes

désirs pour des réalités... Tout cela parce que j'aurais aimé pouvoir apporter des preuves à un procès pour meurtre... Et personne n'aurait pu me faire changer d'avis, je vous le garantis. Oh! non, je n'en aurais pas démordu!

Pensif, Lejeune le regardait en silence. En réponse à cette objurgation muette, Mr Osborne demanda :

— Oui?

— Mr Osborne, pourquoi n'en auriez-vous pas démordu, comme vous dites?

Celui-ci parut étonné :

— Parce que j'en suis absolument certain... Oh! oui, je vois ce que vous voulez dire. L'homme n'était pas notre homme. Je n'ai donc aucun droit à me sentir certain. Et pourtant, je le suis.

Lejeune se pencha vers lui :

— Vous vous demandez peut-être pourquoi je suis venu vous voir aujourd'hui. Puisque j'ai la preuve médicale que l'homme qui est passé devant chez vous ne pouvait être Mr Venables, pourquoi donc suis-je ici?

— En effet, inspecteur Lejeune, en effet. Alors, pourquoi êtes-vous venu?

— Je suis venu parce que la précision de votre identification m'a beaucoup impressionné. Je voulais savoir sur quoi vous basiez votre certitude. Il y avait du brouillard ce soir-là, si vous vous en souvenez. Je suis retourné dans votre officine. Je suis resté sur le seuil et j'ai regardé de l'autre côté de la rue. Il m'a semblé que par un soir de brouillard, à cette distance, une silhouette devait paraître assez irréelle, qu'il devait être presque impossible d'en distinguer clairement les traits.

— Bien entendu, et jusqu'à un certain point, vous avez raison. Le brouillard s'installait effectivement. Mais, comprenez-moi bien, il arrivait par nappes. De temps à autre, un coin de ciel se dégageait. C'est ce qui s'est passé au moment où j'ai aperçu le père Gorman marchant vite sur le trottoir opposé. Et voilà pourquoi je l'ai vu si clairement, ainsi que l'homme qui le suivait. De plus, juste à l'instant où il arrivait à ma hauteur, cet homme a sorti son briquet pour rallumer sa cigarette. Son profil était très net à ce moment-là : le nez, le menton, la pomme d'Adam proéminente. Un physique frappant. Je ne l'avais jamais aperçu dans les environs auparavant. S'il était entré dans ma pharmacie je m'en serais souvenu, me suis-je dit. Alors, vous voyez...

Mr Osborne s'interrompit.

— Oui, je vois, déclara Lejeune, pensif.

— Un frère ? suggéra Mr Osborne, plein d'espoir. Un frère jumeau, peut-être ? Ce serait une solution.

— La solution du jumeau identique ? riposta Lejeune en souriant et en secouant la tête. C'est tellement pratique dans les romans. Mais dans la vie, cela n'arrive jamais, vous savez. Non, vraiment jamais.

— Certes, certes... je n'en doute pas. Mais peut-être un simple frère... avec un air de famille très prononcé..., répliqua Mr Osborne d'un ton rêveur.

— Pour autant que nous le sachions, répondit Lejeune prudemment, Mr Venables n'a pas de frère.

— Pour autant que vous le sachiez ? répéta Mr Osborne.

— Bien qu'il soit de nationalité britannique, il est né à l'étranger et il avait onze ans quand ses parents l'ont amené en Angleterre.

— Vous ne savez pas grand-chose de lui, alors ? À propos de sa famille, j'entends.

— Non, répondit Lejeune, pensif. Il est difficile d'en apprendre beaucoup sur Mr Venables, à moins d'aller le lui demander, et rien ne nous autorise à le faire.

Il y avait bien des manières de découvrir des choses sans aller les lui demander, mais il n'avait pas l'intention d'en faire part à Mr Osborne.

— Donc, sans cette preuve médicale, résuma-t-il

en se levant, vous seriez certain de votre identification ?

— Oh ! oui, répondit Mr Osborne en suivant son exemple. Me rappeler les visages, c'est une de mes marottes, ajouta-t-il en riant. J'ai surpris comme ça bien des clients. Je demande par exemple à quelqu'un : « Comment va votre asthme ? Vous êtes venu en mars dernier avec une ordonnance du Dr Hargreaves. » Imaginez sa stupeur ! Cela m'était très utile, dans mon commerce, bien que je ne me rappelle pas aussi bien les noms que les visages. Les gens adorent qu'on se souvienne d'eux. Je me suis pris au jeu très jeune. Si les têtes couronnées peuvent le faire, tu peux le faire aussi, Zacharias Osborne, m'étais-je dit. Au bout d'un certain temps, cela devient automatique. Vous n'avez même plus d'effort à fournir.

Lejeune soupira :

— J'aimerais avoir des témoins comme vous à la barre. L'identification est toujours affaire délicate. La plupart des gens ne peuvent rien vous dire. Ou alors, ils vous sortent de la bouillie : « Oh ! il est plutôt grand, je crois. Les cheveux blonds... enfin, pas vraiment blonds, entre les deux. Un visage banal. Des yeux bleus... ou gris... ou peut-être bruns. Un imperméable gris... ou bleu foncé peut-être. »

Mr Osborne se mit à rire :

— Pas très utile pour vous, ce genre de déposition !

— Franchement, un témoin tel que vous, ce serait pain bénit !

Mr Osborne parut satisfait.

— C'est un don, répondit-il modestement. Mais vous savez, je l'ai cultivé, ce don. Vous connaissez ce jeu auquel se livrent les enfants : on apporte toute une série d'objets sur un plateau et on dispose de quelques minutes pour les mémoriser. Je m'en souviens chaque fois à cent pour cent. Cela surprend tout le monde. « C'est merveilleux ! »

s'exclame la foule. Non, ce n'est pas merveilleux. C'est un pli à prendre. C'est une question d'entraînement. Je ne suis pas mauvais prestidigitateur non plus, ajouta-t-il en riant. Je fais des tours pour amuser les enfants, à Noël. Excusez-moi, inspecteur Lejeune, mais qu'avez-vous donc dans votre poche de poitrine ?

Il y plongea la main et en sortit un petit cendrier :

— Eh bien, c'est du propre ! Et dire que vous êtes dans la police !

Il rit de bon cœur et Lejeune avec lui. Puis l'ex-pharmacien soupira :

— Je me suis trouvé un bel endroit ici, inspecteur. Les voisins sont sympathiques et amicaux. J'ai la vie dont je rêvais depuis des années et pourtant, inspecteur Lejeune, je dois avouer que mon commerce me manque. Il y avait toujours des allées et venues, des types d'hommes à étudier. J'ai toujours désiré un petit bout de jardin, et je m'intéresse à beaucoup de choses. Aux papillons, comme je vous l'ai déjà dit, et un peu aux oiseaux, que j'observe de temps en temps. Mais je ne me rendais pas compte que ce que j'appellerai l'élément humain me manquerait tellement.

» J'avais envie de faire des petits voyages à l'étranger. Eh bien, j'ai passé un week-end en France. Il faut reconnaître que cela a été très agréable, mais j'ai senti avec force que l'Angleterre me suffisait amplement. D'abord, je n'aime pas la cuisine étrangère. Pour autant que j'aie pu en juger, ils n'ont pas la moindre idée de la façon de faire des œufs au bacon.

Il soupira derechef :

— Cela vous montre bien ce qu'est la nature humaine. J'attendais avec impatience la retraite. Et maintenant, figurez-vous que je caresse l'idée d'acheter une participation à un commerce pharmaceutique, ici, à Bournemouth... juste assez pour y trouver de l'intérêt, sans être l'esclave à plein temps d'une officine. Je sentirais que je fais de nouveau partie du monde en marche. J'imagine qu'il en ira de même pour vous. Vous allez faire des projets, mais quand le moment sera venu, vous regretterez la fièvre de votre vie présente.

Lejeune sourit :

— La vie d'un policier n'est pas aussi exaltante ni aussi romantique que vous vous l'imaginez, Mr Osborne. Vous avez sur le crime un point de vue d'amateur. La plupart du temps, il s'agit d'une ennuyeuse routine. Nous ne sommes pas toujours en train de traquer des criminels ou de suivre des pistes mystérieuses. Ça peut être un travail très monotone, en vérité.

Mr Osborne n'en avait pas l'air convaincu.

— Vous êtes mieux placé que moi pour le savoir, remarqua-t-il néanmoins. Au revoir, inspecteur Lejeune. Je suis vraiment désolé de n'avoir pu vous aider. S'il est quoi que ce soit que je puisse... n'importe quand...

— Je vous le ferai savoir, lui promit Lejeune.

— Ce jour-là, à la fête, cela m'avait paru un hasard si extraordinaire..., murmura tristement Osborne.

— Je sais. Quel dommage que cette preuve médicale soit à ce point incontestable. On peut difficilement passer sur pareille évidence, n'est-ce pas ?

— Eh bien..., dit Mr Osborne qui laissa traîner les mots.

Mais Lejeune ne le remarqua pas. Il s'éloigna vivement tandis que Mr Osborne le suivait des yeux.

— Preuve médicale..., marmonna-t-il. Les médecins ! Et puis quoi, encore ? S'il savait la moitié de ce que je sais sur les médecins... Des innocents, ces gens de la police ! Les médecins, vraiment !

D'abord Hermia. Et maintenant, Corrigan.

Parfait. Je m'étais couvert de ridicule.

Des balivernes, c'était la pure et simple vérité. Je m'étais laissé hypnotiser par cette fumiste de Thyrza Grey au point de gober un fatras d'absurdités. J'étais un imbécile, crédule et superstitieux.

Je décidai de laisser tomber cette maudite affaire. En quoi me regardait-elle, de toute façon ?

À travers la brume de ma désillusion, j'entendis la voix pressante de Mrs Dane Calthrop :

« Il faut y mettre un terme... Il faut que vous vous y atteliez tout de suite ! »

Facile à dire...

« Vous n'avez pas d'ami qui pourrait vous aider ? »

J'avais besoin d'Hermia. J'avais besoin de Corrigan. Mais ni elle ni lui n'étaient disposés à entrer dans le jeu. Je n'avais personne d'autre.

À moins que...

Je pris le temps de soupeser l'idée.

Puis je décrochai le téléphone et appelai Mrs Oliver :

— Allô ! Mark Easterbrook à l'appareil.

— Oui ?

— Connaissez-vous le nom de la fille qui séjournait dans la maison au moment de la fête ?

— Je crois que oui. Attendez... Oui, bien sûr : Ginger. C'était comme ça qu'on l'appelait.

— Ça, je le sais. Mais son autre nom ?

— Quel autre nom ?

— Je doute qu'elle ait été baptisée Ginger.

De toute façon, elle doit avoir un nom de famille.

— Oui, évidemment. Mais j'ignore lequel. On n'entend jamais parler de noms de famille, de nos jours. C'était la première fois que je la voyais.

Appelez Rhoda et demandez-le-lui, ajouta-t-elle après un court silence.

L'idée ne me plaisait guère. D'une certaine façon, cela me gênait.

— Oh! je ne peux pas faire ça, protestai-je.

— C'est pourtant très simple, répliqua Mrs Oliver pour m'encourager. Dites que vous avez perdu son adresse, que vous ne vous rappelez plus comment elle s'appelle, et que vous lui aviez promis de lui envoyer un de vos livres, ou le nom d'une boutique qui vend du caviar bon marché, ou de lui rendre le mouchoir qu'elle vous avait prêté un jour que votre nez coulait, ou l'adresse d'un ami richissime qui veut faire restaurer un tableau. Il y a une proposition qui vous va, là-dedans? Je peux en imaginer un tas d'autres, si cela vous fait plaisir.

— Une de celles-là fera très bien l'affaire, lui assurai-je.

Je raccrochai, demandai l'interurbain et entrai en communication avec Rhoda.

— Ginger? répéta celle-ci. Oh! elle vit dans d'anciennes écuries follement snob. Calgary Place. 45. Attends une minute. Je vais te donner son numéro de téléphone...

Et, une minute plus tard, elle ajouta :

— Capricorne 35987. C'est noté?

— Oui, merci. Mais tu ne m'as pas donné son nom. Je ne le connais pas.

— Son nom? Ah! tu veux dire son nom de famille. C'est Corrigan. Catherine Corrigan. Tu dis?

— Rien, rien. Merci Rhoda.

C'était une étrange coïncidence. Corrigan. Deux Corrigan. C'était peut-être un signe...

J'appelai Capricorne 35987.

★

Ginger était attablée face à moi, devant un verre, au *Cacatoès Blanc* où nous nous étions fixé rendez-vous. Avec ses cheveux roux ébouriffés, son visage agréablement parsemé de taches de rousseur et ses yeux verts au regard vif, elle était la même qu'à Much Deeping. À ceci près qu'elle arborait sa tenue d'artiste londonienne : pantalon de cuir collant, sweater à l'enseigne de Sloppy Joe et gros bas de laine noire. Oui, décidément, elle était bien la même... Et elle me plaisait beaucoup.

— J'ai dû remuer ciel et terre pour retrouver votre trace, lui dis-je. Je ne connaissais ni votre nom de famille, ni votre adresse, ni votre numéro de téléphone. Voyez-vous, j'ai un problème.

— C'est ce que me dit toujours ma femme de ménage. En général, cela signifie que je dois acheter une nouvelle poudre à récurer les casseroles, ou une brosse à tapis, ou je ne sais trop quoi d'aussi déprimant.

— Vous n'aurez rien à acheter, lui assurai-je.

Je lui racontai tout. Cela me prit moins de temps que pour Hermia parce qu'elle connaissait déjà le *Cheval pâle* et ses habitants. Quand j'eus fini, je détournai les yeux. Je ne voulais pas voir sa réaction. Je ne voulais pas voir son air d'indulgence amusée ou de profonde incrédulité. L'histoire paraissait plus absurde que jamais. Personne que moi — à l'exception de Mrs Dane Calthrop — ne pouvait la prendre au sérieux. J'avais attrapé une fourchette qui traînait et m'en servais pour dessiner sur la nappe en plastique.

— C'est tout ? demanda vivement Ginger.

— C'est tout.

— Et qu'allez-vous faire ?

— Parce que vous pensez... que je devrais faire quelque chose ?

— Mais, évidemment ! Quelqu'un doit faire quelque chose ! On ne peut pas laisser une organisation supprimer des gens sans même lever le petit doigt.

— Mais faire quoi ?

J'avais envie de lui sauter au cou et de la serrer dans mes bras.

Sourcils froncés, elle buvait son Pernod à petites

gorgées. Un sentiment d'exaltation m'envahit. Je n'étais plus seul.

— Il va falloir que vous découvriez ce que tout cela signifie, finit-elle par dire.

— Je suis d'accord. Mais comment?

— J'entrevois une ou deux pistes. Je peux peut-être vous aider.

— Vraiment? Mais vous avez votre travail.

— On peut faire des tas de choses en dehors des heures de bureau, déclara-t-elle, pensive. Cette fille, celle qui a soupé avec vous après le théâtre. Poppy ou quelque chose comme ça. Pour avoir dit ce qu'elle a dit, elle est au courant, c'est certain.

— Oui, mais elle a pris peur et s'est dérobée quand j'ai essayé de lui poser des questions. Elle était terrorisée. Elle ne voudra jamais parler.

— Là, je peux peut-être vous aider, déclara Ginger avec assurance. Elle me fera sans doute des confidences qu'elle ne vous ferait pas à vous. Pouvez-vous arranger un rendez-vous? Entre votre ami, elle, vous et moi? Pour un spectacle, un dîner ou n'importe quoi? Mais cela reviendrait peut-être trop cher? ajouta-t-elle en hésitant.

Je lui assurai que j'en avais les moyens.

— Quant à vous, reprit-elle lentement après avoir réfléchi une minute, je pense que vous devriez miser sur Thomasina Tuckerton.

— Comment ça? Elle est morte.

— Et quelqu'un désirait sa mort, si vous avez vu juste! Et a programmé ladite mort avec le *Cheval pâle*. Je vois deux possibilités. Ou la belle-mère, ou alors la fille avec laquelle elle s'est battue chez *Luigi*, celle dont elle avait chipé le petit ami. Elle allait peut-être l'épouser, ce qui ne faisait pas l'affaire de la belle-mère — ou de la fille, si cette dernière était très amoureuse de lui. L'une comme l'autre a pu se rendre au *Cheval pâle*. C'est peut-être une piste. Vous savez comment s'appelle la fille?

— Lou, je crois.

— Cheveu triste, blond cendré, taille moyenne, assez forte poitrine?

Je tombai d'accord avec sa description.

— Je crois que je la connais. Lou Ellis. Elle ne manque pas d'argent non plus.

— Ça ne saute pas aux yeux.

— Non, mais elle en a quand même. De toute façon, elle a les moyens de payer les honoraires du *Cheval pâle*. Elles ne font pas ça pour des prunes, j'imagine.

— Difficile à croire, en effet.

— Vous allez vous occuper de la belle-mère. C'est votre affaire plus que la mienne. Allez la voir...

— Je ne sais même pas où elle habite ni rien.

— Luigi connaissait un peu la vie de Tommy. Il doit savoir au moins dans quel comté elle vivait, non ? Quelques annuaires devraient faire le reste... Mais ce que nous pouvons être bêtes ! Il y avait une notice nécrologique dans le *Times*. Il vous suffira d'aller consulter leurs fiches.

— Il va me falloir un prétexte pour entrer en rapport avec la belle-mère, dis-je en me creusant la cervelle.

Ginger ne voyait là aucune difficulté.

— Vous êtes *quelqu'un*, vous savez, me fit-elle remarquer. Vous êtes un historien, vous faites des conférences et votre nom est suivi de tout un tas de titres ronflants... Mrs Tuckerton sera impressionnée et probablement folle de joie à l'idée de vous rencontrer.

— Et le prétexte ?

— Un intérêt quelconque pour sa maison ? suggéra Ginger au hasard. Si elle est vieille, on peut toujours trouver un biais.

— Mais cela ne concerne pas du tout ma période, objectai-je.

— Elle n'en saura rien, répliqua Ginger. Les gens s'imaginent toujours que tout ce qui a plus de cent ans d'âge fascine forcément historiens et archéologues. Ou alors, un tableau ? Elle doit bien posséder quelques vieilles croûtes. De toute façon, prenez rendez-vous avec elle, passez-lui la pommade dès votre arrivée, soyez charmant, et puis dites-lui que vous aviez rencontré sa fille — sa belle-fille — et combien c'est triste, etc. Et puis, sans crier gare, faites allusion au *Cheval pâle*. Soyez même un peu menaçant, si ça vous chante.

— Et alors?

— Et alors, vous observerez sa réaction. Si vous sortez le *Cheval pâle* de votre chapeau et si elle n'a pas la conscience tranquille, je défie n'importe qui, dans ces conditions, de ne pas se trahir.

— Et si elle se trahit?

— Alors nous saurons que nous sommes sur la bonne piste. Et une fois que nous en serons sûrs, nous pourrons foncer bille en tête. Et il y a autre chose, ajouta-t-elle, songeuse. Pourquoi cette Thyrza Grey vous a-t-elle raconté tout ça? Pourquoi s'est-elle montrée si communicative?

— Parce qu'elle est un peu toquée, répondrait toute personne de bon sens.

— Ce n'est pas ce que je voulais dire. Pourquoi avec vous? Pourquoi avec vous en particulier? Je me demande s'il ne pourrait pas y avoir un lien?

— Un lien avec quoi?

— Attendez une minute... Laissez-moi mettre mes idées en ordre.

J'attendis. Ginger hocha deux fois la tête avec vigueur et déclara :

— Admettons — c'est une simple supposition — que cela se soit passé comme ça : la fille, Poppy, sait tout du *Cheval pâle* mais de façon vague, pour en avoir entendu parler et pas directement. C'est le genre de fille à laquelle personne ne prête attention dans une discussion, mais qui est capable d'en comprendre beaucoup plus qu'on ne pense. C'est souvent le cas des gens un peu stupides. Mettons que quelqu'un ait surpris ce qu'elle vous disait au cours de cette soirée et lui en ait fait le reproche. Le lendemain, vous arrivez et vous lui posez des questions. Comme on l'a effrayée, elle refuse de répondre. Mais le bruit court que vous êtes venu l'interroger. Pour quelle raison? Vous ne faites pas partie de la police. Que vous soyez un client en puissance pourrait en être une.

— Oui, mais...

— C'est logique, je vous assure. Vous avez entendu des rumeurs à ce propos et vous voulez les vérifier pour votre propre compte. Ensuite vous allez à la fête à Much Deeping. On vous introduit au *Cheval pâle* — sans doute parce que vous en avez exprimé le désir — et qu'arrive-t-il alors? Thyrza Grey entame aussitôt son discours publicitaire.

— Évidemment, c'est possible... Vous pensez qu'elle peut faire ce qu'elle prétend faire, Ginger?

— Personnellement, j'aurais tendance à dire, bien sûr, qu'elle ne le peut pas! Mais il arrive parfois des choses étranges. En particulier avec l'hypnotisme. On suggère à quelqu'un d'aller mordre dans une bougie l'après-midi suivant à 4 heures, et il le fait sans savoir pourquoi. Ce genre de choses. Ou bien un récipient branché sur l'électricité. Vous y mettez une goutte de sang et il vous dit que vous allez avoir un cancer dans deux ans. Tout cela paraît bidon, mais cela ne l'est peut-être pas tout à fait. Quant à Thyrza... je ne pense pas que ce soit vrai, mais j'ai horriblement peur que cela puisse l'être!

— Oui... c'est une assez bonne explication.

— Je pourrais travailler un peu Lou, reprit Ginger, songeuse. Je connais toutes sortes d'endroits où j'ai une chance de la trouver. Luigi aussi doit être au courant de certains détails. Mais avant tout, ajouta-t-elle, je dois entrer en rapport avec Poppy.

Ce qui ne fut pas difficile à organiser. David était libre trois jours plus tard. Nous décidâmes d'aller voir une comédie musicale, et David arriva avec Poppy dans son sillage. Nous allâmes ensuite souper au *Fantaisie*, et Ginger et Poppy, qui s'étaient retirées longuement pour se repoudrer le nez, réapparurent visiblement en excellents termes. Selon les instructions de Ginger, nous évitâmes tout sujet de controverse et, lorsque nous nous séparâmes, je raccompagnai Ginger chez elle.

— Je n'ai pas grand-chose à raconter, me dit-elle gaiement. J'ai pu interroger Lou. Le garçon à propos duquel elles se sont querellées s'appelle Gene Pleydon. De la mauvaise graine, si vous voulez mon avis. Il court après l'argent. Toutes les filles l'adorent. Il faisait des avances à Lou quand Tommy est entrée en scène. Lou prétend qu'il se moquait bien d'elle, que c'est à son argent qu'il en avait. Mais c'est sans doute ce qu'elle désirait croire. Quoi qu'il en soit, il a laissé tomber Lou comme une vieille chaussette et elle en a souffert, évidemment. D'après elle, elles ont eu simplement une dispute un peu vive.

— Une dispute un peu vive ! Elle arrachait les cheveux de Tommy avec les racines !

— Je vous répète ce qu'elle m'a dit.

— Elle semble s'être montrée très coopérative.

— Oh ! elles aiment toutes parler de leurs histoires. Elles sont prêtes à les raconter à quiconque est disposé à les écouter. De toute façon, Lou a un nouveau petit ami, maintenant — encore une nullité, à mon avis — mais elle est déjà folle de lui. Si bien que je la vois mal en cliente du *Cheval pâle*. J'ai lâché le nom mais elle n'a pas réagi. Je crois que nous pouvons l'oublier. Pour Luigi aussi, il n'y aurait rien à tirer de cette histoire. D'un autre côté, il pense que Tommy était sincèrement très amoureuse de Gene. Et Gene lui faisait une cour assidue. Et la belle-mère ? Qu'avez-vous fait à son sujet ?

— Elle est à l'étranger. Elle rentre demain. Je lui ai écrit, ou plutôt j'ai chargé ma secrétaire de lui écrire, pour lui demander un rendez-vous.

— Bien. La situation commence à évoluer. J'espère que ça ne va pas tourner court.

— Et que ça nous mènera quelque part!

— Il en sortira toujours quelque chose, répliqua Ginger avec enthousiasme. Ça me fait penser... pour revenir au début de l'histoire, en principe le père Gorman a été tué après s'être rendu au chevet d'une mourante et à cause de ce qu'elle lui aurait dit ou confessé. Qu'est-il arrivé à cette femme? Est-elle morte? Et qui était-elle? Il y a peut-être une piste, là aussi.

— Elle est morte. Mais je ne sais pas grand-chose sur son compte. Je crois qu'elle s'appelait Davis.

— Eh bien, vous ne pourriez pas en apprendre plus?

— Je vais voir ce que je peux faire.

— Si nous pouvions remonter à ses origines, nous pourrions peut-être découvrir comment elle savait ce qu'elle savait.

— Je vois où vous voulez en venir.

De bonne heure, le lendemain matin, j'appelai Corrigan au téléphone.

— Laisse-moi vérifier... Nous n'avons pas beaucoup avancé... Davis n'était pas son véritable nom, c'est pourquoi il nous a fallu un certain temps pour obtenir des renseignements sur elle. Une demi-seconde, s'il te plaît, j'ai noté quelques petites choses... Ah! voilà. Son vrai nom était Archer. Son mari était un truand à la petite semaine. Elle l'avait quitté et avait repris son nom de jeune de fille.

— Quelle sorte de truand? Et où est-il maintenant, cet Archer?

— Oh! c'était du menu fretin. Il piquait de la marchandise dans les grands magasins. Il grappillait aussi un peu d'argent ici ou là. Quelques condamnations. Pour ce qui est de l'endroit où il se trouve maintenant : le cimetière.

— Ce n'est pas lourd, tout ça.

— Non. Quant à la maison pour laquelle Mrs Davis travaillait au moment de son décès, le CRC — Classification des réactions de la clientèle

—, ils ne savent apparemment rien d'elle ni de ses antécédents.

Je le remerciai et raccrochai.

12

RÉCIT DE MARK EASTERBROOK

Trois jours plus tard, Ginger m'appelait :

— J'ai un tuyau pour vous! Un nom et une adresse. Notez-les.

Je sortis mon carnet :

— Allez-y.

— Le nom, c'est Bradley, et l'adresse : 78, Municipal Square Buildings, Birmingham.

— Eh bien, que je sois pendu... Qu'est-ce que c'est que ça?

— Dieu seul le sait. En tout cas pas moi. Et, franchement, je doute que Poppy en sache plus que moi!

— Poppy? Est-ce que ceci...

— Oui. J'ai travaillé Poppy dans les grandes largeurs. Je vous avais bien dit que, pour peu que j'essaie, j'en tirerais quelque chose. Une fois amadouée, ça n'a pas été difficile.

— Comment vous y êtes-vous prise? demandai-je avec curiosité.

Ginger se mit à rire :

— Du papotage entre femmes. Vous ne comprendriez pas. Ce qu'une fille raconte à une autre fille ne compte pas vraiment, c'est là l'essentiel. Il ne lui vient pas à l'idée que cela puisse être d'une importance quelconque.

— Cela reste entre membres du syndicat, si j'ose dire.

— Si vous voulez. Quoi qu'il en soit, nous avons déjeuné ensemble et je lui ai parlé un peu de ma vie amoureuse et des obstacles auxquels je me heur-

tais... un homme marié à une femme impossible...
une catholique qui lui refuse le divorce et fait de sa
vie un enfer. Une invalide, qui souffre le martyre,
mais qui n'est pas près de mourir. Et pourtant,
c'est ce qui pourrait lui arriver de mieux. Je lui ai
raconté que j'avais dans l'idée de m'adresser au
Cheval pâle, mais que je ne savais pas comment m'y
prendre, et puis c'était peut-être très cher ? Et
Poppy m'a répondu qu'en effet, elle le pensait. Elle
avait entendu dire que ça coûtait les yeux de la
tête. Alors je lui ai expliqué que j'avais des espé-
rances. Ce qui est vrai, vous savez. Un grand-
oncle... un amour d'oncle que je détesterais voir
mourir mais qui m'a été bien utile. J'ai suggéré
qu'on accepterait peut-être un acompte ? C'est
alors qu'elle m'a donné ce nom et cette adresse. Il
faut d'abord aller chez lui, selon elle, pour régler
l'aspect financier de l'affaire.

— C'est incroyable !

— Oui, assez...

Nous restâmes tous les deux silencieux un
moment.

— Et elle vous a dit ça comme ça, ouvertement ?
Elle n'avait pas l'air effrayée ?

— Vous ne comprenez pas, répliqua Ginger,
agacée. Ce qu'elle me raconte ne compte pas. Et
après tout, Mark, si ce que nous pensons est vrai,
ce commerce doit avoir besoin d'un minimum de
publicité, non ? Il doit bien falloir renouveler la
« clientèle ».

— Nous sommes cinglés d'ajouter foi à une
histoire pareille !

— D'accord. Nous sommes cinglés. Mais irez-
vous à Birmingham voir Mr Bradley ?

— Oui, répondis-je. J'irai voir Mr Bradley. S'il
existe.

J'avais du mal à le croire. J'avais tort. Mr Bradley
existait bel et bien.

Municipal Square Buildings était une gigantesque ruche composée de bureaux. Le 78 se trouvait au troisième étage. Sur la porte en verre cathé-

drale, on pouvait lire, soigneusement imprimé en lettres noires : C. R. Bradley, Transactions diverses. Et au-dessous, en petits caractères : *Prière d'entrer*.

J'entrai.

Au fond d'une petite antichambre vide, une porte entrouverte indiquait : *Privé*. De là, une voix s'échappa :

— Entrez, je vous prie.

Cette pièce était plus grande. Il s'y trouvait un bureau, deux fauteuils confortables, un téléphone, des piles de dossiers et Mr Bradley, assis derrière le bureau.

C'était un petit homme brun, aux yeux noirs et perçants. Vêtu d'un costume sombre, il était la bienséance incarnée.

— Fermez la porte, voulez-vous ? dit-il aimablement, et asseyez-vous. Ce fauteuil est très confortable. Une cigarette ? Non ? Bon, et maintenant, que puis-je pour vous ?

Je le regardai. Je ne savais pas par où commencer. Je n'avais pas la moindre idée de ce que je devais dire. Je crois que ce fut par pur désespoir que me vint la phrase par laquelle j'attaquai. Ou peut-être à cause de ses petits yeux brillants.

— Combien ? demandai-je.

Je fus heureux de constater qu'il était légèrement surpris, mais pas de la façon qu'il aurait dû l'être. Il n'en déduisit pas, comme je l'aurais fait à sa place, que celui qui venait d'entrer dans son bureau ne disposait pas de toutes ses facultés.

Il haussa les sourcils :

— Eh bien, eh bien... Vous ne perdez pas de temps, dites-moi ?

Je m'en tins à ma ligne de conduite :

— Quelle est la réponse ?

Il dodelina de la tête, gentiment réprobateur :

— Ce n'est pas la bonne façon de procéder. Il faut s'y prendre dans les règles.

Je haussai les épaules :

— Comme il vous plaira. Et quelles sont les règles ?

— Nous ne nous sommes pas présentés, il me semble? Je ne connais pas votre nom.

— Pour le moment, je ne me sens pas vraiment enclin à vous le donner.

— Prudent?

— Prudent.

— Admirable qualité, la prudence, bien qu'elle ne soit pas toujours applicable. Maintenant, qui vous a adressé à moi? Qui est notre ami commun?

— Cela non plus, je ne peux pas vous le dire. Un ami à moi a un ami qui connaît un ami à vous.

Mr Bradley hocha la tête:

— C'est ainsi que me parviennent la plupart de mes clients. Certains problèmes sont assez... délicats. Vous savez quelle est ma profession, je présume?

Il n'attendit pas ma réponse. Il s'empressa de me la donner lui-même:

— Preneur de paris en tous genres. Je n'aime pas le mot de bookmaker. Vous vous intéressez, sans doute, aux chevaux?

Il avait juste marqué une très légère pause avant le dernier mot.

— Je ne suis pas turfiste, rétorquai-je, sans me compromettre.

— Les chevaux sont intéressants à des titres divers: courses, chasse, randonnées... Ce qui m'intéresse, moi, c'est le côté performances. Les paris.

Après un court silence, il me demanda d'un ton détaché — presque trop détaché:

— Vous pensez à un cheval en particulier?

Je haussai les épaules et brûlai mes vaisseaux:

— À un Cheval pâle...

— Ah! très bien, parfait. Vous-même, si j'ose dire, seriez plutôt un cheval ombrageux. Ha! Ha! Ne soyez pas si nerveux. Il n'y a vraiment pas de quoi.

— C'est vous qui le dites, répliquai-je plutôt brutalement.

Mr Bradley se fit encore plus suave et apaisant :

— Je comprends très bien ce que vous ressentez. Mais je peux vous assurer que rien ne justifie votre anxiété. Je suis avocat moi-même — radié du barreau, évidemment, ajouta-t-il par parenthèse et de façon quasiment charmante, sinon je ne serais pas là. Mais vous pouvez être tranquille, je connais la loi. Tout ce que je conseille se fait au grand jour, dans une parfaite légalité. Il ne s'agit que d'un pari. Un homme peut parier n'importe quoi, qu'il va pleuvoir demain, que les Soviétiques peuvent envoyer un homme sur la Lune ou que votre femme va mettre au monde des jumeaux. Vous pouvez parier que Mr B. mourra avant Noël, ou que Mr C. vivra cent ans. Vous vous fiez à votre jugement, ou à votre intuition, comme vous voudrez bien l'appeler. Ce n'est pas plus difficile que ça.

J'avais exactement la même impression que lorsqu'un chirurgien vous rassure avant une opération. Le numéro de Mr Bradley était tout à fait au point.

— Je ne comprends pas très bien ce qu'on fait au *Cheval pâle*.

— Et cela vous inquiète ? Oui, cela inquiète bon nombre de gens. Il y a plus de choses dans le ciel et sur la terre, Horatio... etc. Pour parler franc, je n'y comprends rien moi-même. Mais les résultats sont là. Et des résultats obtenus de la plus miraculeuse des façons.

— Vous ne pourriez pas m'en dire un peu plus ?

Je m'étais installé dans mon nouveau rôle : prudent, impatient, mais terrorisé. Visiblement, c'était une attitude que Mr Bradley avait souvent eu l'occasion d'affronter.

— Connaissez-vous l'endroit ?

Je me décidai rapidement. Il n'aurait pas été sage de mentir :

— Je... ma foi, oui... Des amis m'y ont emmené.

— Un vieux pub charmant. Plein d'intérêt historique. Et merveilleusement bien restauré. Vous la connaissez donc elle aussi, alors ? Je veux dire mon amie, miss Grey ?

— Oui, oui, bien sûr. Une femme extraordinaire.

— N'est-ce pas ? Vous avez mis le doigt dessus. Une femme extraordinaire. Et aux pouvoirs extraordinaires.

— Les résultats qu'elle se prétend capable d'obtenir ! C'est évidemment... eh bien... tout à fait impossible ?

— Très juste. C'est justement ce qui fait l'intérêt de l'affaire. Tout ce qu'elle prétend savoir et faire est impossible ! Ce serait l'avis de n'importe qui. Devant une cour de justice, par exemple...

Ses petits yeux noirs et brillants me transperçaient. Il répéta, en appuyant délibérément sur les mots :

— Devant une cour de justice, par exemple... toute cette histoire paraîtrait ridicule ! Si cette femme se levait et avouait commettre des meurtres, tuer à distance, grâce à un « pouvoir de sa volonté », ou quel que soit le nom absurde qu'elle voudrait bien lui attribuer, ces aveux ne pourraient pas être pris en considération ! Même si ses allégations étaient fondées — ce qu'évidemment, des hommes raisonnables comme vous et moi ne pouvons pas croire un instant ! —, elles n'auraient aucun poids légal. Le meurtre à distance n'en est pas un aux yeux de la loi. C'est une absurdité. C'est toute la beauté de la chose, comme vous vous en rendrez compte pour peu que vous y réfléchissiez un moment.

Je compris qu'on s'efforçait de me rassurer. Un meurtre commis grâce à des pouvoirs occultes n'en était pas un pour une cour de justice anglaise. Si je m'offrais les services d'un gangster pour tuer quelqu'un avec un couteau ou un gourdin, je serais incarcéré avec lui comme complice avant l'acte. Mais si je donnais pour mission à Thyrza Grey d'user de sciences occultes, ces sciences-là n'avaient pas droit de cité. C'était là, pour Mr Bradley, toute la beauté de la chose.

Mon scepticisme naturel reprit le dessus. Je protestai violemment :

— Mais bon sang! Ça dépasse l'imagination! Je n'en crois rien. C'est impossible.

— Je suis d'accord avec vous, je vous assure. Thyrza Grey est une femme extraordinaire, et elle possède certainement des pouvoirs extraordinaires, mais on ne peut pas ajouter foi à tout ce qu'elle s'attribue. Comme vous le dites, ça dépasse l'imagination. À notre époque, on ne peut pas croire que quelqu'un, tranquillement chez soi en Angleterre, peut envoyer, en direct ou par le truchement d'un médium, des ondes mentales ou Dieu sait quoi capables de rendre malade et de faire mourir quelqu'un qui se trouve à Capri ou n'importe quel autre lieu qu'il lui plaira de choisir.

— Mais c'est bien ce qu'elle prétend?

— Oh! oui. Bien sûr, elle a des pouvoirs. C'est une Écossaise et la double vue est une particularité de ces gens-là. Cela existe vraiment. Ce que je crois, sans l'ombre d'un doute...

Il se pencha vers moi en agitant son index pour m'impressionner :

— Oui, ce que je crois c'est que Thyrza Grey sait, à l'avance, quand quelqu'un va mourir. C'est un don. Et elle le possède.

Il se redressa en me dévisageant. J'attendis.

— Prenons un exemple. Quelqu'un, vous ou un autre, aimerait beaucoup savoir quand... — mettons, la grand-tante Éliza — va passer de vie à trépas. Il est très utile, reconnaissez-le avec moi, de connaître ce genre de précision. Rien de désobligeant là-dedans, pas de mal à ça, simple question pratique. Quelle attitude adopter? Disposerez-vous, par exemple, d'une certaine somme d'argent en novembre prochain? Si vous le saviez avec certitude, vous pourriez vous engager dans une voie profitable. La mort est un événement tellement imprévu... Remontée par ses médecins, la chère vieille Éliza pourrait vivre encore dix ans. Vous en seriez enchanté, naturellement, car vous l'aimez beaucoup, cette chère vieille tantine, mais il serait si utile de *savoir*...

Il s'arrêta et se pencha de nouveau vers moi :

— Et voilà où j'entre en scène. J'aime parier. Je parie à propos de tout et de n'importe quoi... à mes conditions, cela va de soi. Vous venez me trouver. Bien entendu, vous ne voudriez pas parier sur la disparition de la pauvre vieille chérie. Cela heurterait votre sensibilité. Alors, disons les choses comme ça : vous pariez une certaine somme que la tante Éliza sera encore valide et en bonne santé à Noël prochain, et moi je vous parie le contraire.

Rivés sur moi, les petits yeux perçants m'observaient :

— Rien à redire à ça, non ? C'est très simple. Nous avons une discussion à ce sujet. Je soutiens que la tante Éliza est sur le point de mourir, et vous prétendez que non. Nous concluons par un accord que vous signez et datez. Pour ma part, j'affirme que d'ici une quinzaine de jours à partir de cette date, le service funéraire de la tante Éliza aura été célébré. Vous affirmez que non. Si vous avez raison, je paye. Si vous avez tort... c'est vous qui payez !

Je le regardai en m'efforçant de me mettre dans la peau d'un homme qui veut écarter de son chemin une vieille personne fortunée. Je la remplaçai par un maître chanteur. C'était plus facile à m'imaginer dans le personnage. Quelqu'un me saignait à blanc depuis des années. C'était devenu insupportable. Je voulais le voir mort. Je n'avais pas le courage de le tuer moi-même, mais j'étais prêt à donner n'importe quoi... oui, n'importe quoi...

Je le lui expliquai, d'une voix rauque. Je jouai mon rôle avec passablement d'assurance :

— Quelles sont les conditions ?

Mr Bradley changea instantanément de ton. Il devint gai, presque facétieux :

— C'est par là que nous avons commencé, n'est-ce pas? Ou plutôt que vous avez commencé, ha! ha! « Combien? » avez-vous dit d'entrée de jeu. Cela m'a vraiment surpris. Je n'avais jamais vu personne en venir si vite au fait.

— Les conditions?

— Cela dépend de plusieurs facteurs. En gros, du montant en jeu. Ou parfois des fonds dont dispose le client. Pour un mari embarrassant, un maître chanteur ou autre individu de ce genre, on tient compte de ce que le client a les moyens de payer. Mais que ce soit bien clair : je ne fais pas affaire avec des clients démunis. Sauf dans des situations comme celle que je viens de vous exposer. Dans ce cas, cela dépendrait du montant des biens de la tante Éliza. Les conditions doivent faire l'objet d'un accord mutuel. Chacun de nous veut en tirer un bénéfice, non? En général, la cote est de cinq cents contre un.

— Cinq cents contre un? Ce n'est pas raisonnable.

— Mon pari n'est pas raisonnable non plus. Si la tante Éliza était mûre pour la tombe, vous le sauriez déjà et vous ne seriez pas venu me trouver. Annoncer la mort de quelqu'un dans les quinze jours, c'est prendre de grands risques. Cinq mille livres contre cent, cela n'est pas anormal.

— Et si vous perdez?

Mr Bradley haussa les épaules :

— Ce serait dommage. Mais je paierais.

— Et si je perds, je paie. Supposez que je ne le fasse pas?

Mr Bradley se carra dans son fauteuil et ferma à demi les yeux.

— Je ne vous le conseillerais pas, susurra-t-il. Je ne vous le conseillerais vraiment pas.

En dépit de la douceur du ton, je fus parcouru d'un frisson. Il n'avait pas usé de menaces, mais la menace était bien présente.

Je me levai :

— Je... Il faut que je réfléchisse.

Mr Bradley retrouva son personnage aimable et courtois :

— Mais bien entendu, réfléchissez. Il ne faut jamais foncer tête baissée. Si vous vous décidez, revenez et nous entrerons plus avant dans les détails. Rien ne presse. Prenez votre temps.

Je sortis, ces mots me résonnant encore aux oreilles :

— Prenez votre temps...

13

Récit de Mark Easterbrook

Interviewer Mrs Tuckerton était une tâche qui m'inspirait la plus vive répugnance. Aiguillonné par Ginger qui me poussait à le faire, j'étais cependant loin d'être convaincu de la sagesse du projet. Pour commencer, je me sentais peu doué pour cette tâche que j'avais moi-même entreprise. Je doutais de mon habileté à provoquer la réaction attendue, et j'étais profondément conscient de me présenter sous de fausses couleurs.

Avec cette efficacité presque terrifiante dont elle était capable quand l'envie lui en prenait, Ginger m'avait donné ses instructions par téléphone :

— C'est très simple. C'est une maison de Nash. Mais pas dans la manière qu'on lui prête habituellement. Une de ses foucades néo-gothiques.

— Et pour quelle raison m'intéresserais-je à elle ?

— Vous avez l'intention d'écrire un article, ou un livre, sur les influences qui s'exercent sur les architectes et les amènent à changer de style. Un bobard dans ce genre-là.

— Cela me paraît peu crédible, objectai-je.

— Absurde, répliqua vigoureusement Ginger. Quand il s'agit de sujets culturels ou artistiques, les gens les plus inattendus sont là pour avancer les théories les plus invraisemblables, avec le plus grand sérieux. Je pourrais vous citer des chapitres entiers d'inepties.

— Ce qui prouve que vous seriez beaucoup plus qualifiée que moi pour ce travail.

— C'est là où vous vous trompez. Mrs Tuckerton peut vous trouver dans le *Bottin mondain*, ce qui l'impressionnera certainement. Alors que moi, je n'y figure pas.

Bien que provisoirement vaincu, je demeurai sceptique.

Ginger et moi avions débattu ensemble de mon incroyable entrevue avec Mr Bradley. Ginger en avait été beaucoup moins étonnée que moi. En fait, elle lui avait procuré une incontestable satisfaction :

— Cela met un point final à la question de savoir si tout cela est ou non un effet de notre imagination. Nous savons maintenant qu'il existe bel et bien une organisation qui se charge d'écarter de votre chemin les personnes indésirables.

— Par des moyens surnaturels !

— Vous êtes tellement conventionnel ! Tout cela à cause de tout ce mystère et des faux scarabées de Sybil. Cela vous déroute. Et si vous aviez trouvé en Mr Bradley un guérisseur ou un astrologue, vous douteriez encore. Mais comme il s'est avéré affreux petit escroc terre à terre et avocaillon marron... c'est du moins l'impression que vous m'avez donnée...

— C'est assez juste, confirmai-je.

— Dans ces conditions, toute l'affaire se met en place. Si fantaisiste que cela puisse paraître, ces trois femmes du *Cheval pâle* ont mis au point une entreprise qui fonctionne.

— Si vous en êtes si sûre, qu'avons-nous besoin de Mrs Tuckerton ?

— Pour en avoir une preuve supplémentaire, répondit Ginger. Nous savons ce que Thyrza Grey *dit* qu'elle peut faire. Nous savons de quelle façon se traite le côté financier de l'affaire. Nous connaissons trois des victimes. Nous voulons en apprendre plus sur le point de vue du client.

— Et si rien ne permet de penser que Mrs Tuckerton a été effectivement cliente ?

— Dans ce cas, il faudra enquêter ailleurs.

— Reste encore que je peux foirer lamentablement, marmonnai-je d'un air sombre.

Ginger me reprocha d'avoir si peu confiance en moi.

Et c'est ainsi que je me retrouvai, à mon corps défendant, devant la porte de Carraway Park. La bâtisse ne ressemblait en rien à l'idée que je me faisais des conceptions de Nash. À bien des égards, c'était presque un château de proportions modestes. Ginger m'avait promis de me fournir un ouvrage récent sur l'architecture de Nash, mais il n'était pas arrivé à temps et je ne disposais que de renseignements succincts.

Je sonnai la cloche et un homme en veston d'alpaga, d'aspect plutôt misérable, m'ouvrit la porte :

— Mr Easterbrook ? Mrs Tuckerton vous attend.

Il me fit entrer dans un salon à l'ameublement recherché qui me causa une impression pénible. Il ne s'y trouvait que des objets coûteux, mais choisis sans goût ni discernement. Laissée à elle-même, la pièce aurait eu au moins d'agréables proportions. Je remarquai deux bons tableaux, et un nombre considérable de croûtes. Et aussi du brocart jaune à profusion. Mon inspection fut interrompue par l'arrivée de Mrs Tuckerton en personne. Je m'extirpai avec difficulté des profondeurs d'un divan recouvert de brocart jaune vif.

J'ignore à quoi je m'attendais, mais mes sentiments changèrent du tout au tout. Son aspect n'avait rien de menaçant. C'était simplement une femme jeune encore et parfaitement banale. Pas très jolie et pas non plus particulièrement séduisante. En dépit d'une généreuse application de rouge, ses lèvres étaient minces et trahissaient une certaine irascibilité. Son menton était un peu fuyant. Ses yeux bleu clair semblaient évaluer le prix de tout. C'était le genre de femme qui donne des pourboires ridicules aux portiers et dans les vestiaires. On en rencontre beaucoup de cette espèce dans le monde, mais en général moins richement vêtues et moins bien maquillées.

— Mr Easterbrook? dit-elle presque avec effusion, visiblement enchantée de ma visite. Je suis *si* heureuse de vous rencontrer! C'est étrange que vous vous intéressiez à cette maison. Bien sûr, je savais qu'elle était l'œuvre de John Nash, mon mari me l'avait dit, mais je n'aurais jamais pensé qu'elle pourrait intéresser une personnalité telle que *vous!*

— Eh bien, comprenez-vous, Mrs Tuckerton, elle n'est pas tout à fait dans la manière habituelle de notre grand homme, c'est ce qui fait que... euh...

Elle m'épargna l'embarras de poursuivre :

— Je suis hélas absolument inculte... dès lors qu'il s'agit d'architecture, veux-je dire. D'architecture, d'archéologie et tout ça. Mais que cela ne vous gêne en rien pour...

Cela ne me gênait pas du tout. Je préférais ça, et de loin.

— Bien sûr, tous ces sujets sont particulièrement passionnants, affirma Mrs Tuckerton, et...

Je répliquai que nous autres spécialistes étions en général terriblement ennuyeux et assommants dès lors qu'on nous laissait enfourcher notre dada.

Sur quoi Mrs Tuckerton se récria qu'elle avait la certitude qu'il n'en était rien en ce qui me concernait et me demanda si je préférais prendre le thé d'abord et visiter la maison ensuite, ou vice versa.

Mon rendez-vous ayant été fixé à 3 heures et demie, le thé n'avait pas été prévu au programme, mais j'optai pour la maison d'abord.

Elle m'en fit faire le tour en pérorant la plupart du temps, ce qui me dispensa de commentaires architecturaux.

C'était d'après elle une chance que je sois venu maintenant. La maison était à vendre — « Elle est trop grande pour moi depuis la mort de mon mari. » — et, bien qu'elle ne fût sur le marché que depuis une semaine, les agents immobiliers avaient déjà un acheteur en vue.

— Je n'aurais pas aimé que vous la voyiez vide. J'estime qu'il faut de la vie, dans un intérieur, pour pouvoir en juger, pas vous, Mr Easterbrook ?

J'aurais préféré la voir désertée et vidée de son mobilier, mais ne pouvais décemment le lui avouer. Je lui demandai si elle comptait rester dans les environs.

— Vraiment, je n'en sais rien. Je vais d'abord voyager un peu. Aller au soleil. Je déteste cet affreux climat. En fait, je songe à passer l'hiver en Égypte. J'y suis allée il y a deux ans. Quel pays magnifique ! Mais ce n'est certainement pas à *vous* que je l'apprendrai.

Je ne connaissais rien de l'Égypte, et je le lui confiai.

— Je vous soupçonne de modestie excessive, répondit-elle d'un ton léger. Voici la salle à manger. Elle est octogonale. C'est bien ça ? Elle n'a pas de coins.

Je le lui confirmai et en louai les proportions.

La visite achevée, nous retournâmes dans le salon où Mrs Tuckerton sonna pour le thé. Il nous fut apporté par le domestique à l'air misérable. La grande théière victorienne en argent aurait eu besoin d'un sérieux astiquage.

Quand le serviteur fut sorti, Mrs Tuckerton exhala un soupir :

— Les domestiques sont vraiment impossibles, de nos jours. Après la mort de mon mari, le couple, mari et femme, qu'il avait à son service depuis vingt ans, a tenu à partir. Ils prétendaient vouloir se retirer, mais j'ai appris ensuite qu'ils s'étaient fait embaucher ailleurs. Avec des gages très élevés. Pour ma part, je trouve absurde de payer des sommes pareilles. Quand vous pensez à ce que coûtent déjà le logement et la nourriture — sans parler du blanchissage...

Oui, me dis-je. Radine. Ces yeux clairs, cette bouche serrée dénotaient bien l'avarice.

Je n'eus aucun mal à faire parler Mrs Tuckerton. Elle adorait parler. Et, en particulier, parler d'elle-même. En l'écoutant avec attention et en prononçant de temps à autre un mot d'encouragement, je finis par en apprendre pas mal à son sujet. Plus que ce qu'elle avait conscience de me révéler.

J'appris ainsi qu'elle avait épousé Thomas Tuckerton, un veuf, cinq ans auparavant. Elle était « beaucoup, beaucoup plus jeune que lui ». Elle l'avait rencontré dans un palace de la côte où elle était « hôtesse de bridge ». Elle ne s'était pas rendu compte que ce dernier détail lui avait échappé. Il avait une fille en pension dans les environs... « C'est si difficile pour un homme de savoir comment distraire une gamine lors de ses jours de sortie. Pauvre Thomas, il était si seul... Sa première femme était morte quelques années auparavant et elle lui manquait beaucoup. »

Mrs Tuckerton poursuivit ce portrait d'elle-même. Celui d'une femme bonne et indulgente prenant en pitié un homme solitaire et vieillissant. Toute dévouée à sa santé déclinante :

— Encore que, bien entendu, aux derniers stades de sa maladie, il me soit devenu impossible de maintenir des relations avec mes amis.

Avait-elle eu quelques amis masculins que Thomas Tuckerton jugeait indésirables ? Je me posai la question. Cela aurait pu expliquer les dispositions de son testament.

À ma demande, Ginger s'était rendue au Fichier Central des Dispositions de dernières volontés où elle avait pris connaissance du testament en question.

Des legs à de vieux domestiques, à deux filleuls, et une somme — honnête mais pas généreuse outre mesure — pour sa femme. Une somme en fidéicommis dont elle devait toucher les revenus sa vie durant. Le reste de ses biens, un total à six chiffres, allait à sa fille, Thomasina Ann, pour lui appartenir à l'âge de vingt et un ans ou le jour de son mariage. Si elle venait à mourir avant ses vingt et un ans, l'argent irait à sa belle-mère. Il semblait qu'elles fussent les deux seuls membres de la famille.

L'enjeu, estimai-je, avait été de taille. Mrs Tuckerton aimait l'argent... cela, chez elle, transpirait de partout. J'étais convaincu qu'elle n'en avait jamais possédé jusqu'à son mariage avec son vieux veuf. Cela lui était peut-être monté à la tête. Enchaînée à un mari invalide, elle devait attendre avec impatience le moment où elle serait libre, encore jeune, et riche au-delà de ses rêves les plus fous.

Le testament l'avait peut-être déçue. Elle avait dû espérer mieux qu'un honnête revenu. Elle avait prévu de faire des voyages coûteux, des croisières de luxe, d'acheter des robes, des bijoux... ou peut-être de jouir du pur plaisir de voir son argent s'accumuler à la banque.

Au lieu de quoi c'était la fille qui allait engranger tout ce bel argent! C'était la fille qui allait devenir riche héritière! Une fille qui, selon toute vraisemblance, détestait sa belle-mère et, avec le manque d'égards et la brutalité propres à la jeunesse, ne s'en cachait pas. C'était la fille qui allait devenir riche, à moins que...

À moins que...? Était-ce suffisant? Pouvais-je réellement croire que cette blonde un peu vulgaire et qui débitait si volontiers des platitudes était capable de dénicher le *Cheval pâle* et de planifier la mort d'une jeune fille?

Non, je ne pouvais pas le croire...

Quoi qu'il en soit, je devais accomplir ma mission. Je déclarai plutôt abruptement :

— Votre fille — votre belle-fille... Il me semble l'avoir rencontrée une fois.

Elle me regarda, légèrement surprise mais sans manifester un grand intérêt :

— Thomasina ? Vraiment ?

— Oui, à Chelsea !

— Oh, Chelsea ! Oui, c'est très possible.

Elle soupira :

— Ces filles d'aujourd'hui... Intenables. On n'a plus aucune autorité sur elles. Cela inquiétait beaucoup son père. Je n'y pouvais rien, évidemment. Elle n'écoutait jamais un mot de ce que je lui disais.

Elle soupira de plus belle :

— Elle était déjà presque adulte quand je me suis mariée. Une belle-mère...

Elle secoua la tête.

— Cela a toujours été une position difficile, reconnus-je, compatissant.

— J'ai toujours fait les premiers pas, je me suis toujours décarcassée, toujours montrée indulgente...

— Je n'en doute pas un instant.

— Mais sans résultat aucun. Bien évidemment, Tom ne lui aurait pas permis d'être vraiment grossière avec moi, mais elle savait fort bien jusqu'où aller trop loin. Elle me rendait la vie quasiment impossible. Dans un sens, cela a été un soulagement pour moi quand elle a tenu à quitter la maison, mais je comprenais tout à fait que Tom en ait été désespéré. Elle s'était acoquinée avec une bande des moins recommandables.

— Je... C'est ce qu'il m'avait semblé...

— Pauvre Thomasina, reprit Mrs Tuckerton.

Elle remit en place une boucle de ses cheveux blonds. Puis elle me regarda :

— Oh ! mais vous n'êtes peut-être pas au courant. Elle est morte il y a un mois environ. Une encéphalite... ç'a été très soudain. C'est une maladie qui s'attaque aux jeunes, si j'ai bien compris... Quelle tristesse !

— Je ne savais pas qu'elle était morte, répliquai-je.

Je me levai.

— Merci beaucoup, Mrs Tuckerton, de m'avoir montré votre maison, dis-je en lui serrant la main.

Puis, comme je m'éloignai, je me retournai :

— Au fait, je pense que vous connaissez le *Cheval pâle*, n'est-ce pas ?

Aucun doute quant à sa réaction. La panique, l'absolue panique se lut dans ses yeux pâles. Sous son maquillage, elle parut soudain blême de terreur.

Quand elle me répondit, ce fut d'une voix perçante, haut perchée :

— Le *Cheval pâle* ? Qu'est-ce que vous voulez dire avec le *Cheval pâle* ? Je ne sais rien du *Cheval pâle*.

Je me composai un regard légèrement surpris :

— Oh ! je me serai trompé. C'est un vieux pub très intéressant, à Much Deeping. On m'a emmené le visiter quand j'y séjournais, il y a quelques jours. Il a été reconverti de façon charmante, en lui gardant toute son atmosphère. Il m'avait semblé entendre prononcer votre nom, mais c'est peut-être de votre belle-fille qu'il s'agissait, ou de quelque homonyme.

» L'endroit a acquis une certaine... réputation, ajoutai-je après un court silence.

Je n'étais pas peu fier de ma dernière sortie. En marchant vers la porte, je surpris le visage de Mrs Tuckerton qui se reflétait dans les miroirs muraux du hall. Elle me suivait des yeux, l'air très, très effrayé. Je la voyais exactement comme elle serait dans quelques années. Et l'image n'était pas réjouissante.

14

Récit de Mark Easterbrook

— Alors, maintenant nous en sommes tout à fait sûrs.

— Nous en étions déjà sûrs avant.

— Oui, d'une certaine façon. Mais nous en avons la confirmation.

Je restai silencieux un moment. Je me représentais Mrs Tuckerton en route pour Birmingham, entrant dans le Municipal Square Buildings, rencontrant Mr Bradley... Sa nervosité à elle et son appréhension, sa bonhomie rassurante à lui. Son habile insistance sur l'absence de risque — il avait dû la souligner d'abondance avec Mrs Tuckerton. Je la voyais repartir sans s'être compromise. Laissant l'idée prendre racine dans son esprit. Peut-être était-elle allée voir sa belle-fille, ou sa belle-fille était-elle rentrée à la maison pour le week-end. Elles avaient pu bavarder, peut-être le mot « mariage » avait-il été dans l'air. Et pendant tout ce temps elle n'avait eu en tête que l'ARGENT... pas juste un petit peu d'argent, une misérable pitance, mais des monceaux d'argent, un argent fou, assez d'argent pour vous permettre d'obtenir tout ce que vous avez jamais désiré ! Et tout cela allant à cette fille dégénérée, mal embouchée, traînant dans les bouges de Chelsea dans ses jeans trop serrés et ses pull-overs trop grands, en compagnie de garçons peu recommandables et tout aussi dégénérés. Pourquoi tout ce bel, ce divin argent irait-il à une fille pareille, une fille qui n'avait rien de bien et qui ne ferait jamais rien de bien ?

Alors, nouvelle visite à Birmingham. Plus de prudence encore, plus de garanties encore. Finalement, discussion des conditions. Je souris involontairement. Mr Bradley avait dû avoir affaire à forte partie. Elle avait dû marchander ferme. Mais en fin de compte, les conditions avaient été acceptées, un document avait été signé... Et ensuite?

Là s'arrêtait notre imagination. Là, nous ne savions plus rien.

En sortant de mes méditations, je m'aperçus que Ginger m'observait:

— Vous avez reconstitué toute l'histoire?

— Comment savez-vous ce que j'étais en train de faire?

— Je commence à comprendre la façon dont votre esprit fonctionne. Vous l'avez suivie à Birmingham, et dans tout ce qu'elle a fait après?

— Oui, mais j'ai été arrêté brusquement, au moment où tout a été réglé à Birmingham. *Qu'est-il arrivé après?*

Nous nous regardâmes.

— Tôt ou tard, déclara Ginger, quelqu'un doit découvrir ce qui se passe au *Cheval pâle*.

— Comment?

— Je n'en sais rien... Cela ne sera pas facile. Personne de ceux qui y sont allés, personne de ceux qui l'ont fait n'en parlera jamais. Et en même temps, ce sont les seuls qui pourraient en parler. C'est bien difficile... Je me demande...

— Nous pourrions aller trouver la police? suggérai-je.

— Oui. Après tout, nous tenons un élément décisif, cette fois. Assez pour entreprendre une action, vous ne croyez pas?

Je secouai la tête d'un air de doute:

— Nous avons la preuve de l'intention. Mais est-ce suffisant? Toute cette histoire de désir de mort est tellement absurde! Oh, ajoutai-je, devançant ses objections, ce n'est peut-être pas absurde, mais c'est comme ça que cela apparaîtrait aux yeux de la justice. Nous n'avons pas la moindre idée de la véritable procédure mise en œuvre.

— Bon, eh bien, dans ces conditions, nous devons en prendre connaissance. Mais comment?

— Il faudrait le voir de nos propres yeux,

l'entendre de nos propres oreilles. Mais il n'y a pas d'endroit où se cacher dans cette espèce de grange qui leur sert de salon — parce que je suppose que c'est bien là que ça se passe... quel que puisse être ce « ça ».

Ginger s'assit bien droite :

— Il n'y a qu'un moyen de le savoir. Il faut que vous vous résolviez à être un authentique client.

J'écarquillai les yeux :

— Un authentique client ?

— Oui. Vous ou moi, peu importe, doit vouloir se débarrasser de quelqu'un. L'un de nous deux doit aller mettre le processus au point avec Bradley.

— L'idée ne me plaît pas, répondis-je avec force.

— Pourquoi ?

— Eh bien... Cela entraîne trop de dangers.

— Pour nous ?

— Peut-être. Mais, en réalité, je pensais à la victime. Il faut bien que nous ayons une victime. Nous devons lui donner un nom, qu'on ne saurait tirer tout bonnement d'un chapeau. Ils risquent de vérifier... en fait, ils vérifient certainement, vous n'êtes pas d'accord ?

Ginger réfléchit un instant puis hocha la tête :

— Oui. La victime doit être une vraie personne, avec une vraie adresse et une véritable identité.

— Et c'est ce qui ne me plaît pas.

— Et nous devons avoir une vraie raison de vouloir nous en débarrasser.

Nous restâmes silencieux un moment, à étudier cet aspect de la situation.

— Il faudrait que la personne, quelle qu'elle soit, y consente. C'est beaucoup demander.

— La mise en scène doit être inattaquable, poursuivit Ginger, réfléchissant à haute voix. Mais vous aviez absolument raison sur un point l'autre jour : elles sont prises dans un dilemme. Cette affaire doit rester secrète, mais pas trop. Les clients éventuels doivent avoir l'occasion d'en entendre parler.

— Ce qui me stupéfie, remarquai-je, c'est que la police n'en ait pas eu vent. Après tout, ils sont en général au courant de tout l'éventail d'activités criminelles qui se pratiquent.

— Oui, mais à mon avis, la raison tient à ce qu'il s'agit là, dans tous les sens du terme, d'une entreprise d'amateurs. Elle n'a rien de professionnel. Elle n'emploie ni ne concerne aucun criminel de métier. Ce n'est pas comme s'offrir les services d'un gangster pour supprimer quelqu'un. Cela reste... privé.

Je reconnus qu'elle avait mis là le doigt sur un point important. Ginger poursuivit :

— Supposez maintenant que vous ou moi — nous examinerons les deux éventualités — souhaitions désespérément nous débarrasser de quelqu'un. Qui donc, vous ou moi, pourrions-nous avoir envie de faire disparaître ? Il y a bien mon cher vieil oncle Mervyn — j'hériterai d'un joli petit paquet quand il cassera sa pipe. Un vague cousin en Australie et moi sommes tout ce qui reste de la famille. Voilà un motif valable. Mais comme il a plus de soixante-dix ans et qu'il est déjà plus ou moins gâteux, il semblerait plus raisonnable de ma part — à moins d'un terrible besoin d'argent, ce qui serait difficile à justifier — d'attendre qu'il meure de sa belle mort... Sans compter que c'est un amour, que j'ai beaucoup d'affection pour lui et que, gâteux ou non, il est très heureux de vivre et que je ne voudrais pour rien au monde l'en priver d'une minute, ou même en prendre le risque ! Et vous ? Avez-vous des parents qui doivent vous laisser la forte somme ?

Je secouai la tête :

— Pas l'ombre d'un.

— Quelle barbe ! Il pourrait s'agir d'un chantage ? Mais ça exigerait une trop longue mise au point. Vous n'êtes pas assez vulnérable. Si vous étiez membre du parlement, ou du ministère des Affaires étrangères, ou ministre plein d'avenir, ce serait différent. De même pour moi. Il y a cinquante ans, ç'aurait été facile. Des lettres compromettantes, ou des photographies en tenue d'Adam... Mais aujourd'hui, qui y attache encore de l'importance ? Comme le duc de Wellington, on y répondrait : « Publiez-les et allez vous faire voir ! » Bon, qu'est-ce qui nous reste ? La bigamie ? Quel malheur que vous n'ayez jamais été marié ! ajouta-t-elle en me lançant un regard de reproche. On aurait pu concocter quelque chose.

Mon expression dut me trahir. Ginger fut prompte à s'en apercevoir :

— Désolée. J'ai réveillé une vieille douleur ?

— Non, répliquai-je, ce n'est pas une douleur. Ça remonte à loin. Je doute que quelqu'un s'en souvienne encore.

— Vous vous êtes marié ?

— Oui. Quand j'étais à l'université. Nous n'en avons soufflé mot à personne. Elle n'était pas... Bref, ma famille l'aurait très mal pris. Je n'avais même pas l'âge requis. Nous avons donné un faux état civil.

Je restai silencieux un instant, revivant le passé.

— De toute façon, ça n'aurait pas duré, repris-je lentement. Je le sais maintenant. Elle était jolie et elle pouvait être charmante... mais...

— Qu'est-il arrivé ?

— Nous étions en Italie pour de longues vacances. Un accident de voiture. Elle a été tuée sur le coup.

— Et vous ?

— Je n'étais pas dans la voiture. Elle était avec... un ami.

Ginger me lança un rapide coup d'œil. Elle avait visiblement compris ce qui s'était passé. Le choc que ç'avait été pour moi de découvrir que la fille que j'avais épousée n'était pas de la race qui fait les femmes fidèles.

Ginger se tourna vers des questions plus concrètes :

— Le mariage avait eu lieu en Angleterre?

— Oui. Il a été enregistré à l'état civil de Peterborough.

— Mais elle est morte en Italie?

— Oui.

— Alors sa mort n'a pas été enregistrée en Angleterre?

— Non.

— Que peut-on désirer de plus? C'est la réponse à nos prières! Rien de plus simple! Vous êtes désespérément amoureux d'une fille et vous voulez l'épouser, mais vous ignorez si votre femme est encore en vie. Vous vous êtes séparés il y a des années et n'avez plus entendu parler d'elle depuis. Pouvez-vous prendre ce risque? Tandis que vous y réfléchissiez, brusque réapparition de votre femme! Tombée du ciel, elle refuse de vous accorder le divorce et menace de révéler le pot aux roses à votre jeune fiancée.

— Qui est ma jeune fiancée? demandai-je, légèrement embarrassé. Vous?

Ginger eut l'air choqué:

— Certainement pas. Je ne suis pas le genre. Je vivrais plus probablement avec vous dans le péché. Non, vous savez très bien qui je veux dire... c'est la personne idéale. Cette brune sculpturale avec laquelle vous sortez. Très intellectuelle et immensément sérieuse.

— Hermia Redcliffe?

— Exact. Votre régulière.

— Qui vous a parlé d'elle?

— Poppy, bien sûr. Et elle est riche aussi, n'est-ce pas?

— Elle est très à l'aise. Mais vraiment...

— Bon, bon. Je ne prétends pas que vous la courtisez pour son argent. Cela ne vous ressemblerait pas. Mais un mauvais esprit comme Bradley pourrait très bien le penser... ce qui serait parfait. Voilà la situation: vous étiez sur le point de demander Hermia en mariage quand votre indésirable épouse a surgi du passé. Elle est arrivée à Londres et ça a mis le feu aux poudres. Vous avez voulu la persuader de divorcer — elle s'y est refusée. Elle est vindicative. C'est alors que vous avez entendu parler du *Cheval pâle*. Je vous parie tout ce que vous voudrez que Thyrza et cette paysanne imbécile de Bella sont persuadées que vous étiez venu pour ça. Elles ont pris votre visite pour une tentative d'approche, et c'est la raison pour laquelle Thyrza s'est montrée si communicative avec vous. C'était une façon comme une autre de faire l'article.

— C'est bien possible, acquiesçai-je en repassant cette journée dans ma tête.

— Et que vous soyez allé voir Bradley peu après complète le tableau. Vous avez été ferré. Vous êtes un client potentiel.

Elle s'arrêta, triomphante. Il y avait incontestablement du vrai dans ses propos, mais je ne voyais pas bien...

— Je persiste à penser qu'elles vont se renseigner très soigneusement.

— C'est certain, reconnut Ginger.

— C'est bien beau de ressusciter du passé une épouse fictive, mais elles voudront avoir des détails, savoir où elle vit et tout ça. Et si j'évite de répondre...

— Vous n'en aurez pas besoin. Pour faire bon poids, il faut que votre femme soit là. Et elle sera là! Accrochez-vous bien, me prévint Ginger. *Votre femme, c'est moi!*

★

Je la regardai, les yeux ronds. Les yeux hors de la tête serait sans doute plus exact. Étonnant qu'elle n'ait pas éclaté de rire.

J'étais à peine revenu à moi qu'elle reprit la parole :

— Inutile d'être aussi stupéfait. Ce n'est en rien une demande en mariage.

Je retrouvai ma langue :

— Vous ne savez pas ce que vous dites.

— Bien sûr que si. Ce que je vous propose est parfaitement réalisable, et présente en outre l'avantage de ne pas attirer un danger sur une innocente.

— C'est vous-même que vous mettez en danger.

— Ça, c'est mon affaire.

— Non, ça ne l'est pas. De toute façon, cela ne tiendrait pas longtemps la route.

— Oh! mais si! J'y ai bien réfléchi. Je débarque dans un appartement meublé, avec une ou deux valises aux étiquettes étrangères. Je loue l'appartement au nom de Mrs Easterbrook — et qui diable pourrait dire que je ne suis pas Mrs Easterbrook?

— N'importe qui vous connaissant.

— Personne des gens qui me connaissent ne me verra. Je serai en congé de maladie. Un flacon de teinture pour les cheveux... au fait, comment était votre femme, brune ou blonde? Non que cela ait vraiment de l'importance.

— Brune, répondis-je machinalement.

— Très bien. J'aurais détesté me décolorer. En changeant de vêtements et avec une tartine de maquillage, mes meilleurs amis ne me reconnaîtront pas. Et comme vous ne vous êtes pas affiché avec une épouse depuis au moins quinze ans, personne ne pourra soupçonner que je ne suis pas la légitime en question. Qui pourrait se douter, au *Cheval pâle*, que je ne suis pas celle que je prétends? Si vous êtes disposé à signer des papiers pariant de grosses sommes d'argent que je resterai en vie, cela prouvera que je suis bien le fardeau en question. Vous n'êtes d'aucune façon en rapport avec la police, vous êtes un authentique client. Elles peuvent vérifier que vous avez été marié en consultant les archives de Somerset House. Elles peuvent contrôler votre intimité avec Hermia et tout ça. Alors pourquoi auraient-elles des doutes?

— Vous ne comprenez pas les difficultés... le risque.

— Au diable le risque! J'adorerais vous aider à arracher 100 misérables livres, ou Dieu sait combien, à ce requin de Bradley.

Je la regardai. Elle me plaisait beaucoup avec ses cheveux roux, ses taches de rousseur, son courage... Mais je ne pouvais pas lui laisser prendre de tels risques :

— Je ne peux pas l'accepter, Ginger. Si jamais... il arrivait quelque chose...

— À moi?

— Oui.

— Est-ce que ce n'est pas moi que cela regarde?

— Non. C'est moi qui vous ai entraînée là-dedans.

Elle hocha la tête, pensive :

— Peut-être, mais peu importe qui a entraîné l'autre. Nous sommes dans le bain tous les deux maintenant, et nous devons *agir*. Je parle sérieusement à présent, Mark. Je ne prétends pas que cela soit pur amusement. Si ce que nous croyons est vrai, l'affaire est d'une ignominie à vous soulever le cœur. Il faut à tout prix y mettre un terme! Il ne s'agit pas de crimes passionnels, perpétrés dans un accès de haine ou de jalousie; pas même de meurtres inspirés par la cupidité, l'humaine soif de gain pour étancher laquelle on est prêt à tout. C'est le meurtre considéré comme une profession, qui ne tient aucun compte de la victime, de sa personnalité, de son droit à l'existence.

» C'est-à-dire..., ajouta-t-elle, rêveuse, si tout cela est bien exact.

Elle me regarda, subitement prise de doute.

— Ça l'est, répondis-je. Voilà pourquoi j'ai peur pour vous.

Ginger mit ses coudes sur la table et commença à argumenter. Nous en débattîmes de long en large, avec énergie, rabâchant à qui mieux mieux tandis que, sur la cheminée, les aiguilles de la pendule faisaient lentement le tour du cadran.

Ginger finit par résumer la situation :

— Les choses se présentent comme ça. Je suis prévenue et sur mes gardes. Je sais ce que quelqu'un va essayer de me faire. Mais je ne crois pas un instant qu'elle peut y arriver. Si chacun de nous possède en lui un « désir de mort », le mien est fort peu développé ! Je suis en bonne santé. Et je ne peux pas imaginer que je vais me retrouver avec des calculs ou une méningite juste parce que la vieille Thyrza aura dessiné des pentagrammes sur le sol ou que Sibyl sera entrée en transe... ou Dieu sait ce à quoi elles peuvent s'adonner.

— Bella sacrifie un coq blanc, j'imagine, dis-je, pensif.

— Reconnaissez que tout ça n'est pas sérieux !

— Nous ne savons pas ce qui se passe, en réalité, lui fis-je remarquer.

— Non, et c'est pourquoi il est important de le découvrir. Mais vous croyez, vous croyez vraiment que, à cause de ce que trois femmes font dans la grange du *Cheval pâle*, moi, dans mon appartement de Londres, je pourrais attraper une maladie mortelle ? Non, c'est impossible !

— Non, répondis-je, je ne peux pas le croire. Mais, ajoutai-je, j'y crois...

Nous nous regardâmes.

— Oui, reconnut Ginger. C'est là que le bat blesse.

— Écoutez, repris-je. Faisons l'inverse. Vous serez la cliente. Nous pouvons concocter quelque chose...

Mais Ginger secoua résolument la tête :

— Non, Mark. Ça ne marcherait pas. Pour plusieurs raisons, dont la plus importante est qu'on me connaît déjà au *Cheval pâle* — qu'on m'y connaît comme une fille libre de tous liens. Elles peuvent tirer les vers du nez de Rhoda, elles ne dénicheront pas le moindre mystère dans mon existence. Alors que vous êtes déjà le client idéal : nerveux, reniflant partout, n'arrivant pas à se décider. Non, ça doit se faire comme on l'a dit.

— Ça ne me plaît pas. Je ne supporte pas l'idée de vous savoir seule quelque part, sous un faux nom... sans personne pour veiller sur vous. Avant de nous embarquer dans cette histoire, avant de faire quoi que ce soit, je pense que nous devrions aller trouver la police.

— Je suis d'accord avec ça, répondit lentement Ginger. En fait, c'est vous qui devriez le faire. Vous avez suffisamment d'éléments sur quoi vous appuyer. Mais qui, à la police ?

— À mon avis, l'inspecteur Lejeune est le plus indiqué.

15

Récit de Mark Easterbrook

L'inspecteur Lejeune me plut dès l'abord. Il avait un air de compétence tranquille. Il me donnait aussi l'impression de ne pas manquer d'imagination, d'être capable de tenir compte d'hypothèses dont l'orthodoxie ne serait pas la vertu première.

— Le Dr Corrigan m'a parlé de sa rencontre avec vous, me dit l'inspecteur. Il se passionne pour cette affaire depuis le début. Le père Gorman était connu et respecté dans le secteur. Vous pensez avoir des renseignements particuliers à nous communiquer ?

— Cela concerne un endroit qui s'appelle le *Cheval pâle*.

— Situé dans un village du nom de Much Deeping, si j'ai bien compris.

— Oui.

— Racontez-moi ça.

Je lui fis part de la façon dont j'en avais entendu parler la première fois, au *Fantaisie*. Puis je lui décrivis ma visite à Rhoda et ma rencontre avec les

« trois sorcières ». Je lui rapportai aussi fidèlement que possible les propos de Thyrza Grey cet après-midi-là.

— Et ce qu'elle vous a dit vous a impressionné ?

— Eh bien, pas vraiment, répliquai-je, un peu gêné. Je veux dire, je ne crois pas sérieusement...

— Vraiment, Mr Easterbrook ? Je serais enclin à penser le contraire.

— Vous avez sans doute raison. Il est difficile d'avouer à quel point on peut être crédule.

Lejeune sourit :

— Mais vous ne m'avez pas tout dit, n'est-ce pas ? Vous vous intéressiez déjà au *Cheval pâle* quand vous êtes allé à Much Deeping. Pourquoi ?

— Sans doute à cause de l'air si effrayé de la fille.

— La jeune personne de la boutique de fleurs ?

— Oui. Elle avait lancé sa remarque à propos du *Cheval pâle* sans y penser. Qu'elle ait l'air à ce point effrayée ne faisait que souligner le fait que... eh bien, qu'il y avait là quelque chose d'effrayant. Puis j'ai rencontré le Dr Corrigan qui m'a parlé de la liste de noms. J'en connaissais déjà deux. Thomasina Tuckerton et lady Hesketh-Dubois étaient mortes toutes les deux. Un troisième nom me parut familier. Après quoi, j'ai découvert que cette femme était morte, elle aussi.

— Mrs Delafontaine, sans doute ?

— Oui.

— Continuez.

— C'est alors que j'ai décidé que je devais tirer cette affaire au clair.

— Et comment vous y êtes-vous pris ?

Je lui racontai ma visite à Mrs Tuckerton. Finalement, j'en arrivai à Mr Bradley et aux Municipal Square Buildings de Birmingham.

Il m'écoutait maintenant avec une grande attention. Il répéta le nom :

— Bradley... Alors Bradley est mêlé à ça ?

— Vous le connaissez ?

— Oh! oui. Nous connaissons tout de Mr Bradley. Il nous a donné bien du fil à retordre. C'est un truand adroit qui s'arrange pour qu'on ne puisse jamais l'épingler. Aucun truc, aucun expédient légal ne lui est étranger. Il est toujours du bon côté de la barrière. Le genre d'homme qui pourrait écrire un livre à la manière des livres de cuisine : « Les mille et une façons de tourner la loi ». Mais le meurtre... quelque chose d'aussi organisé que le meurtre... j'aurais juré que cela n'était pas de son domaine.

— Maintenant que je vous ai mis au courant de notre conversation, pouvez-vous agir en conséquence?

Lejeune secoua lentement la tête :

— Non, nous ne pouvons pas agir. Primo, vous n'avez aucun témoin de votre conversation. Elle a eu lieu juste entre vous deux et rien ne l'empêche de nier toute l'histoire si ça lui chante! Secundo, il avait tout à fait raison quand il vous a dit qu'on pouvait parier sur n'importe quoi. Qu'y a-t-il là de criminel? À moins de prouver qu'il existe un lien quelconque entre le crime en question et lui — ce qui, j'imagine, ne serait pas aisé.

Il haussa les épaules. Après un instant de silence, il reprit :

— Est-ce que vous ne seriez pas entré par hasard en rapport, à Much Deeping, avec un certain Venables?

— Si. On m'a emmené déjeuner chez lui un jour.

— Ah! Si je peux me permettre, quelle impression vous a-t-il faite?

— Une très vive impression. C'est une forte personnalité. Un invalide.

— Oui. Infirme à la suite d'une polio?

— Il ne se déplace qu'en fauteuil roulant. Mais il semble que son handicap n'ait fait que renforcer sa détermination à profiter de la vie.

— Racontez-moi tout ce que vous savez à son sujet.

Je lui décrivis la maison de Venables, ses trésors artistiques, l'éventail et l'étendue de ses intérêts.

— Quel dommage! soupira Lejeune.

— Qu'est-ce qui est dommage?

— Que Venables soit infirme...

— Excusez-moi, mais en êtes-vous certain? Est-ce qu'il ne pourrait pas... eh bien... simuler?

— Qu'il soit bien infirme, nous en sommes aussi sûrs qu'il est possible de l'être. Son médecin est Sir William Dugdale, de Harley Street, un personnage au-dessus de tout soupçon. Et sir William nous a assurés que ses membres étaient atrophiés. Notre petit bonhomme d'Osborne a beau être certain que Venables est l'homme qu'il a vu dans Barton Street cette nuit-là, il se trompe.

— Je vois.

— Comme je vous le disais, c'est dommage parce que s'il existe vraiment une organisation privée consacrée au meurtre, Venables est le genre d'homme capable de la mettre sur pied.

— Oui. C'est aussi ce que je pense.

Lejeune se mit à tracer du doigt, sur sa table, des cercles entrelacés. Puis il leva vivement la tête:

— Ajoutons nos renseignements aux vôtres et voyons où nous en sommes. Nous pouvons raisonnablement tenir pour certain qu'il existe une espèce d'agence, ou d'organisation, spécialisée dans ce que l'on pourrait appeler la suppression de personnes indésirables. Une organisation qui n'a rien de vulgaire. Qui n'emploie ni gangsters ni tueurs à gages professionnels... Rien n'indique que les victimes ne soient pas mortes de mort parfaitement naturelle. En plus des trois que vous avez mentionnés, nous avons obtenu des renseignements partiels sur quelques-uns des autres décès. Il s'agit à chaque fois d'une cause naturelle, mais il y a aussi chaque fois quelqu'un qui en profite. De preuve, aucune, comme vous vous en doutez.

» C'est intelligent, Mr Easterbrook, bougrement intelligent. Celui qui a mis ça au point — et l'a mis au point dans ses moindres détails —, c'est un cerveau. Nous n'avons que quelques noms épars. Dieu sait combien il y en a encore et quelle est l'étendue du désastre. Et ces noms que nous avons, nous ne les avons eus que par le hasard d'une femme qui sachant qu'elle allait mourir, a voulu faire la paix avec le ciel.

Il secoua la tête avec irritation et poursuivit :

— Cette Thyrza Grey, vous dites qu'elle s'est vantée auprès de vous de ses pouvoirs ! Évidemment, elle peut le faire en toute tranquillité. Accusez-la de meurtre, mettez-la au banc des accusés et laissez-la clamer à la face du ciel et du jury qu'elle délivre son prochain des misères de ce monde par la seule puissance de sa volonté, de ses formules magiques ou de ce que vous voudrez. Aux yeux de la loi, elle ne sera pas considérée comme coupable. Elle n'a jamais approché les gens qui sont morts, nous l'avons vérifié, elle ne leur a pas envoyé de chocolats empoisonnés par la poste, rien de semblable. À l'en croire, elle reste tranquillement chez elle et use de la télépathie. Ça se terminerait par un gigantesque éclat de rire dans le prétoire !

— « Et pourtant Lu et Aengus point ne rient », marmonnai-je. « Ni personne dans la Maison du Seigneur. »

— Hein ? Qu'est-ce que c'est que ça ?

— Excusez-moi. Une citation.

— Ma foi, c'est bien vrai. Ceux qui rient, ce sont les démons de l'Enfer, pas l'Élu du Royaume des Cieux. Cette affaire est... démoniaque, Mr Easterbrook.

— Oui, répondis-je. C'est un mot que l'on n'emploie plus guère de nos jours. Mais c'est le seul qui soit applicable ici. Voilà pourquoi...

— Oui ?

Lejeune me regardait d'un air interrogateur.

— À mon avis, lançai-je précipitamment, il y a un moyen... une possibilité de... d'en savoir un peu plus sur tout ça. Une de mes amies et moi, nous avons établi un plan... vous le trouverez peut-être complètement stupide...

— Laissez-moi en juger.

— Pour commencer, d'après vos propos, je pense que vous êtes convaincu que l'organisation dont nous avons parlé existe bien, et qu'elle obtient des résultats ?

— Certainement.

— Mais vous ne savez pas comment ça fonctionne ? Les prémices nous sont déjà connues. L'individu, que j'appellerai le client, entend de vagues rumeurs, s'arrange pour en savoir plus, est envoyé à Birmingham chez Mr Bradley, et décide de poursuivre. Il signe un accord avec Bradley et je présume qu'on l'envoie alors au *Cheval pâle*. Mais ce qui arrive après, nous l'ignorons. Qu'est-ce qui se passe exactement au *Cheval pâle* ? Nous n'en savons rien. Il faut que quelqu'un y aille et le découvre.

— Continuez.

— Parce que tant que nous ne saurons pas très exactement ce que fait Thyrza Grey, nous ne pourrons pas aller de l'avant. Jim Corrigan, votre médecin de la police, trouve que toute cette histoire est un tissu d'absurdités. Mais est-ce vraiment le cas, inspecteur Lejeune, est-ce vraiment le cas ?

Lejeune soupira :

— « Oui, évidemment », telle est la réponse que devrait vous opposer toute personne saine d'esprit. Mais je vais vous exprimer mon opinion non officielle. Il s'est produit des choses très étranges durant ces cent dernières années. Qui aurait cru, il y a seulement soixante-dix ans, que quelqu'un pourrait entendre Big Ben sonner midi dans une petite boîte puis, après qu'elle ait fini de sonner, l'entendre directement, de ses propres oreilles, sonner de nouveau par la fenêtre, tout cela sans aucune entourloupe ? En fait, Big Ben n'a sonné qu'une fois — pas deux —, mais le son est parvenu aux oreilles de la personne par deux sortes d'ondes différentes ! Auriez-vous cru que vous pourriez entendre, dans votre propre salon, quelqu'un en train de parler à New York, sans même un fil connecteur ? Auriez-vous cru... oh ! des dizaines d'autres phénomènes qui sont aujourd'hui monnaie courante et que tous les enfants connaissent ?

— En d'autres termes, tout est possible ?

— C'est bien ce que je veux dire. Si vous me demandez si Thyrza Grey peut tuer quelqu'un en roulant des yeux, en entrant en transe ou par la magie de sa volonté, je répondrai : « Non. » Mais je n'en suis pas certain. Comment pourrais-je l'être ? Elle a pu tomber sur une découverte...

— Oui. Le surnaturel paraît surnaturel. Mais la science de demain est le surnaturel d'aujourd'hui.

— Mes propos n'ont rien d'officiel, ne l'oubliez pas.

— Ils expriment le bon sens même, mon vieux. Et leur conclusion, c'est que quelqu'un doit sauter le pas et aller découvrir ce qui se passe vraiment. C'est ce que je me propose de faire.

Lejeune écarquilla les yeux.

— Le chemin est déjà balisé, lui affirmai-je.

Je lui racontai dans tous ses détails le plan que nous avions élaboré, une amie et moi.

Il m'écouta, sourcils froncés, en tiraillant sur sa lèvre inférieure :

— Je comprends votre point de vue, Mr Easter-brook. Les circonstances vous ont ménagé une porte d'entrée. Mais je ne suis pas sûr que vous mesuriez vraiment à quel point ce que vous vous proposez de faire peut se révéler dangereux. Ces gens-là sont redoutables. Vous-même risquez sans doute de courir un danger, mais votre amie le courra à coup sûr.

— Je sais... Je sais... Nous avons cent fois retourné le problème dans tous les sens. Ça me déplaît qu'elle joue ce rôle. Mais elle y est déterminée, elle n'en démordra pas. Bon sang de bois, elle y tient dur comme fer !

Lejeune posa une question inattendue :

— Elle est rousse, m'avez-vous dit ?

— Oui, répondis-je, surpris.

— Impossible de discuter avec une rousse, décréta-t-il. Je suis payé pour le savoir !

Je me demandai si sa femme ne l'était pas.

16

RÉCIT DE MARK EASTERBROOK

Je ne me sentais absolument pas nerveux en allant pour la seconde fois rendre visite à Bradley. En fait, cela m'amusait plutôt.

« Mettez-vous bien dans la peau du personnage », m'avait conseillé Ginger avant mon départ, et c'était ce que j'essayais de faire.

Mr Bradley me reçut avec un sourire accueillant.

— Heureux de vous voir, me dit-il en me tendant sa main grassouillette. Alors, vous avez réfléchi à votre petit problème ? Bon, comme je vous l'ai dit, rien ne presse. Prenez votre temps.

— C'est justement ce que je n'ai pas, répondis-je. C'est... eh bien, c'est assez urgent...

Bradley m'examina. Il prit note de ma nervosité, de la manière dont j'évitais son regard, de la maladresse avec laquelle je laissai tomber mon chapeau.

— Bien, bien. Voyons voir ce que nous pouvons faire. Vous désirez parier sur quelque chose, sans doute ? Rien de tel qu'un petit enjeu sportif pour chasser... euh... tous vos tourments.

— Voilà ce qu'il en est..., préludai-je avant de m'arrêter brusquement.

Je laissai Bradley jouer son rôle. Ce qu'il fit :

— Je vois que vous êtes un peu nerveux. Précautionneux. J'approuve que l'on s'entoure de précautions. Ne jamais rien dire que sa propre mère ne pourrait entendre! Mais peut-être craignez-vous qu'il n'y ait un mouchard dans mon bureau?

Mon expression trahit mon incompréhension.

— C'est un terme d'argot pour microphone, expliqua-t-il. Pour magnétophone. Cette sorte d'engins. Non, je vous donne ma parole d'honneur qu'il n'y a rien de tel ici. Notre conversation ne sera enregistrée d'aucune façon. Et si vous ne me croyez pas — et pourquoi me croiriez-vous? ajouta-t-il avec une franchise tout à fait engageante —, vous êtes en droit de me désigner un lieu de votre choix pour que nous en discutions : un restaurant, ou la salle d'attente d'une de nos chères gares de chemin de fer anglais, par exemple.

Je lui assurai que son bureau me convenait parfaitement.

— Voilà qui est raisonnable! Ce genre d'appareil ne servirait à rien, soyez-en sûr. Ni vous ni moi n'allons prononcer une parole qui pourrait, légalement, « être utilisée contre nous ». Maintenant, commençons par là : quelque chose vous tracasse. Vous me trouvez sympathique et vous avez envie de m'en parler. J'ai de l'expérience et suis peut-être en mesure de vous conseiller. Un souci partagé n'est plus que la moitié d'un souci, comme on dit. Que pensez-vous de cette manière de procéder?

Nous décidâmes de procéder ainsi et, non sans hésitations et balbutiements, je lui racontai mon histoire.

Mr Bradley se montra très habile. Il allait au-devant de moi, m'aidait à trouver les mots ou les phrases difficiles. Il était si efficace que je n'eus bientôt plus aucun mal à lui parler de mon engouement de jeunesse pour Doreen et de notre mariage secret.

— Cela est si fréquent, remarqua-t-il en secouant la tête, si fréquent! Et combien compréhensible! Un jeune homme idéaliste... une fille ravissante... et vous voilà mari et femme avant d'avoir eu le temps de dire ouf! Et qu'est-ce que ça a donné?

Je poursuivis en lui racontant ce que cela avait donné.

Mais là, je me montrai volontairement avare de détails. L'homme que j'étais censé représenter ne se serait pas laissé aller à des précisions sordides. Je lui dépeignis simplement ma désillusion : celle d'un jeune crétin comprenant qu'il s'était conduit en jeune crétin.

Je laissai entendre que nous nous étions séparés sur une scène de rupture. Si Bradley en concluait que ma jeune épouse était partie avec un autre, ou qu'il y avait de tout temps eu un amant dans le décor, ce serait parfait.

— Mais vous savez, dis-je d'un ton angoissé, bien qu'elle ne soit pas... eh bien, pas tout à fait celle que je pensais, c'était quand même une très gentille fille. Je n'aurais jamais cru qu'elle serait comme ça... qu'elle se conduirait comme ça, veux-je dire.

— Qu'est-ce qu'elle vous a fait au juste?

Ce que mon « épouse » m'avait fait, lui expliquai-je, c'était de réapparaître.

— Que pensiez-vous qu'elle était devenue?

— Si extraordinaire que cela puisse paraître... je ne pensais rien du tout. En fait, j'imagine que je la croyais morte.

Bradley secoua la tête :

— C'était prendre vos désirs pour des réalités. Oh! oui, vos désirs pour des réalités. Pourquoi serait-elle morte?

— Elle n'avait jamais écrit ni donné signe de vie. Je n'avais plus jamais entendu parler d'elle.

— La vérité, c'est que vous vouliez oublier tout ce qui la concernait.

Il était psychologue à sa manière, ce petit avocat aux yeux brillants.

— Oui, confirmai-je avec reconnaissance. Vous comprenez, ce n'était pas comme si j'avais voulu épouser quelqu'un d'autre.

— Mais c'est maintenant ce dont vous brûlez d'envie, hein, c'est bien ça ?

— Ma foi..., dis-je comme à regret.

— Allons, racontez tout à Papa, insista l'odieux Bradley.

Je reconnus piteusement que, oui, depuis quelque temps, je songeais à me remarier. Mais je persistai à refuser fermement de le renseigner sur l'objet de ma flamme. Je ne voulais pas la mêler à ça. Je ne voulais rien dire à son sujet.

J'étais de nouveau certain d'avoir eu la bonne réaction. Il n'insista pas :

— C'est bien naturel, cher monsieur. Vous avez surmonté votre pénible expérience passée. Vous avez sans aucun doute trouvé celle qui vous convient en tous points. Capable de partager vos goûts littéraires et votre manière de vivre. Une vraie compagne.

Je compris alors qu'il connaissait l'existence d'Hermia. Cela n'était pas bien difficile. N'importe quelle enquête faite sur moi devait révéler que je n'avais qu'une seule amie proche. Depuis qu'il avait reçu ma lettre sollicitant un rendez-vous, Bradley avait sans doute enquêté sur moi et sur Hermia. Il était au courant de tout.

— Et un divorce ? Ne serait-ce pas la solution la plus simple ?

— Il n'est pas question de divorce, répliquai-je. Elle... ma femme... ne veut pas en entendre parler !

— Bigre ! Bigre ! Et qu'attend-elle de vous, si je puis me permettre... ?

— Elle... euh... elle veut revenir à moi. Elle... elle est tout à fait déraisonnable. Elle sait que j'en aime une autre et... et...

— Elle se conduit très mal... Je saisis... Je ne vois cependant guère de solution. À moins, bien sûr... Mais elle est encore très jeune...

— Elle vivra des années, soulignai-je avec amertume.

— Oh ! on ne sait jamais, Mr Easterbrook. Elle a vécu à l'étranger, m'avez-vous dit ?

— C'est ce qu'elle m'a raconté. Mais je ne sais pas où.

— Il se peut qu'il se soit agi de l'Orient. Dans ces régions, il arrive qu'on attrape un microbe... un microbe qui sommeille en vous pendant des années ! Et puis vous rentrez au pays et, brusquement, il se développe. J'ai connu deux ou trois cas de ce type. Cela pourrait se produire une fois encore. Si cela pouvait vous réconforter... je serais prêt à parier une petite somme là-dessus.

Je secouai la tête :

— Elle vivra des années.

— Je reconnais que vous avez l'avantage... Mais parions quand même. Mille cinq cents contre un que la dame mourra avant Noël. Qu'en pensez-vous ?

— Plus tôt ! Il faut que cela ait lieu plus tôt. Je ne peux pas attendre. Il est des circonstances...

Je me montrai volontairement incohérent. J'ignore s'il en déduisit que les choses étaient allées si loin entre Hermia et moi que je ne pouvais plus perdre une seconde, ou que mon « épouse » menaçait d'aller faire du scandale chez Hermia. Ou encore s'il avait dans l'idée que Hermia avait un autre prétendant sur les rangs. Peu m'importait ce qu'il pensait. Je voulais seulement souligner l'urgence de l'affaire.

— Alors changeons un peu les termes du pari. Disons mille huit cents contre un que votre femme aura disparu avant un mois. J'en ai comme le pressentiment.

Je me dis qu'il était temps de marchander, et je marchandai. Je prétendis ne pas posséder une telle somme. Bradley était malin. Dieu sait comment, il s'était débrouillé pour apprendre de combien je pouvais disposer en cas d'urgence. Il savait aussi que Hermia avait de la fortune. Sa délicate allusion au fait que, plus tard, une fois marié, la perte de mon pari ne me paraîtrait plus que broutille, en était la preuve. Bien plus, que je sois pressé le mettait en excellente position. Il ne baisserait pas son prix.

Quand je le quittai, ce fantastique pari avait été dûment couché sur le papier et accepté.

Je signai une espèce de reconnaissance de dette, si pleine de phraséologie juridique que je n'y compris rien. En vérité, je doutais qu'elle ait la moindre valeur légale.

— Ce papier a-t-il un poids juridique quelconque ? lui demandai-je néanmoins.

— Je ne crois pas, répondit Mr Bradley en découvrant son excellente dentition, qu'il sera jamais mis à l'épreuve. Un pari est un pari. Si un mauvais perdant ne s'exécute pas...

Je le regardai. Son sourire n'avait rien d'agréable.

— Je ne vous le conseillerais pas, déclara-t-il avec douceur. Non, je ne vous le conseillerais vraiment pas. Nous n'apprécions pas les individus qui manquent à la parole donnée.

— Je tiendrai ma parole, lui assurai-je.

— J'en suis sûr, Mr Easterbrook. Maintenant, pour ce qui concerne les... euh... les dispositions à prendre. Vous dites que Mrs Easterbrook se trouve actuellement à Londres ? Où exactement ?

— Vous avez besoin de le savoir ?

— Je dois posséder tous les éléments de l'affaire. La prochaine étape consiste à prendre rendez-vous pour vous avec miss Grey... Vous vous rappelez miss Grey ?

Je répondis que, bien évidemment, je me rappelais miss Grey.

— Une femme étonnante. Réellement étonnante. Très douée. Elle va vous réclamer un objet que votre femme a porté, un gant, un mouchoir, une babiole de ce genre.

— Mais pourquoi ? Au nom de...

— Je sais, je sais. Ne me demandez pas pourquoi. Je n'en ai pas la moindre idée. Miss Grey ne dévoile pas ses secrets.

— Mais que va-t-il se passer? Qu'est-ce qu'elle *fait*?

— Vous devez me croire, Mr Easterbrook, si je vous dis honnêtement que je n'en ai pas la moindre idée. Je n'en sais rien et, qui plus est, je ne veux pas le savoir. Restons-en là.

Il s'interrompit un instant, puis reprit d'un ton quasi paternel :

— Voilà ce que je vous conseille, Mr Easterbrook. Allez voir votre femme. Calmez-la, donnez-lui à penser que vous envisagez une réconciliation. Vous pourriez lui dire que vous devez aller passer quelques semaines à l'étranger, mais que dès votre retour, etc.

— Et ensuite?

— Après lui avoir subtilisé un objet quelconque qu'elle porte quotidiennement, vous vous rendrez à Much Deeping...

Il s'interrompit, pensif, puis :

— Voyons... il me semble vous avoir entendu dire, la dernière fois, que vous aviez des amis, ou des parents, dans le voisinage?

— Oui, une cousine.

— Cela simplifie les choses. Cette cousine ne vous refusera pas l'hospitalité un jour ou deux.

— Que font la plupart des gens? Ils descendent à l'auberge locale?

— Sans doute, ou alors ils viennent en voiture de Bournemouth. Quelque chose de ce genre. Mais j'avoue mon ignorance à ce sujet.

— Et... euh... qu'est-ce que ma cousine va penser?

— Vous prétendrez que les habitantes du *Cheval pâle* vous intriguent. Que vous voulez assister à une de leurs séances. Rien de plus normal. Miss Grey et son amie médium se complaisent à ces jeux. Vous connaissez les spirites. Bien sûr, vous jurerez vos grands dieux que ce sont là calembredaines, mais calembredaines qui vous intéressent. C'est tout, Mr Easterbrook. Comme vous voyez, on ne peut pas plus simple.

— Et... et après ?

Il secoua la tête en souriant :

— C'est tout ce que je peux vous dire. Tout ce que je sais, en fait. Miss Thyrza Grey prendra le relais. N'oubliez pas d'emporter le gant, le mouchoir, ou l'objet quel qu'il soit avec vous. Ensuite, je vous suggérerais de faire un petit voyage à l'étranger. La Riviera italienne est très agréable en cette saison. Mettons, une semaine ou deux.

Je répliquai que je n'avais pas envie d'aller à l'étranger. Que je voulais rester en Angleterre.

— Très bien, mais en tout cas pas à Londres. Non, je vous déconseille fortement Londres.

— Mais pourquoi ?

Mr Bradley me regarda d'un air de reproche :

— Nous garantissons à nos clients une parfaite... euh... sécurité, mais *à la condition expresse* qu'ils obéissent aux ordres.

— Que diriez-vous de Bournemouth ? Est-ce que Bournemouth ferait l'affaire ?

— Oui, Bournemouth conviendrait parfaitement. Installez-vous à l'hôtel, faites quelques connaissances, montrez-vous en leur compagnie. Une existence inattaquable, voilà le but. Et si vous en avez assez de Bournemouth, vous pourrez toujours aller à Torquay.

Il s'exprimait avec l'amabilité d'un agent touristique.

Je dus une fois encore serrer sa main grassouillette.

17

RÉCIT DE MARK EASTERBROOK

— Tu vas vraiment assister à une séance chez Thyrza ? me demanda Rhoda.

— Pourquoi pas ?

— Je ne savais pas que tu t'intéressais à ce genre de choses, Mark.

— Ça ne m'intéresse pas outre mesure, répondis-je, sincère. Mais ces trois-là forment une si drôle d'équipe... Je suis curieux de voir quelle sorte de spectacle elles mettent en scène.

Il ne m'était pas vraiment facile d'adopter un ton léger. Du coin de l'œil, je remarquai que Hugh Despard m'examinait d'un air songeur. C'était un homme perspicace, qui avait mené une vie aventureuse. Un de ces hommes dotés d'un sixième sens pour flairer le danger. Je crois que, pour l'heure, il en ressentait la présence et se rendait compte que la simple curiosité n'était pas l'élément en jeu.

— Alors, je t'accompagne ! déclara Rhoda gaiement. J'en ai toujours eu envie.

— Pas question, Rhoda, gronda Despard.

— Mais je ne crois pas aux esprits et à tout ça, Hugh. Tu le sais très bien. Je veux juste m'amuser !

— Ce genre de pratiques n'a rien d'amusant, riposta Despard. Elles peuvent avoir un fond d'authenticité, elles l'ont même probablement. Mais, ce qu'il y a de sûr, c'est qu'elles peuvent avoir des effets désastreux sur les gogos qui y assistent.

— Alors dissuades-en également Mark.

— Mark n'est pas sous ma responsabilité, répliqua Despard.

De nouveau, il me jeta un bref coup d'œil oblique. Il avait compris, j'en étais sûr, que j'avais quelque chose en tête.

Rhoda surmonta son mécontentement et quand, par hasard, un peu plus tard ce matin-là, nous rencontrâmes Thyrza Grey au village, celle-ci se montra on ne peut plus directe :

— Mr Easterbrook ! Nous vous attendons ce soir. J'espère que nous pourrons être à la hauteur. Sybil est un merveilleux médium, mais on ne saurait jamais jurer de rien. Il ne faut pas que vous soyez déçu. Je ne vous demande qu'une faveur : gardez l'esprit ouvert. Un observateur honnête est toujours le bienvenu, mais une attitude frivole et un esprit d'ironie ne peuvent qu'engendrer des effets néfastes.

— Je voulais venir aussi, intervint Rhoda, mais Hugh est si horriblement pétri de préjugés... Vous le connaissez.

— De toute façon, je n'aurais pas pu vous le permettre, répliqua Thyrza. Un étranger, c'est déjà très suffisant.

Elle se tourna vers moi :

— Et si vous veniez d'abord partager un dîner léger avec nous ? Nous ne mangeons jamais beaucoup avant une séance. Vers 7 heures ? Bien, nous vous attendrons.

Elle hocha la tête, sourit et s'éloigna à grands pas. Je la suivis des yeux, tellement plongé dans mes réflexions que je n'entendis rien de ce que Rhoda me racontait :

— Pardon. Tu disais ?

— Tu es très bizarre depuis quelque temps, Mark. Depuis ton arrivée, exactement. Ça ne va pas ?

— Si, bien sûr que si. Qu'est-ce qui n'irait pas ?

— Tu es en panne avec ton livre, peut-être ? Un problème dans ce goût-là ?

— Mon livre ? répétai-je, sans comprendre tout de suite de quoi il s'agissait. Ah ! oui... mon livre... Ça avance à peu près, merci.

— Alors tu es amoureux, décréta Rhoda d'un ton accusateur. Oui, ça ne peut être que ça. L'amour a des effets désastreux sur les hommes, ça leur brouille les idées. Les femmes, c'est tout le contraire : elles exultent, elles sont radieuses et deux fois plus jolies que d'habitude. C'est drôle, non, que ça réussisse si bien aux femmes et que ça donne aux hommes des allures de brebis bêlantes ?

— Merci pour les brebis bêlantes ! m'offusquai-je.

— Oh ! ne te fâche pas, Mark. Je crois que c'est une très bonne chose et j'en suis ravie. Elle est vraiment charmante.

— Qui est charmante?

— Hermia Redcliffe, bien sûr. Tu as l'air de croire que je débarque de la Lune. Il y a des siècles que je voyais venir ça. Et c'est exactement la femme qu'il te faut : belle et intelligente — en tous points convenable...

— Ça, c'est la plus belle rosserie qu'on puisse dire à propos de quelqu'un.

Rhoda me regarda.

— C'est ma foi vrai, admit-elle.

Là-dessus elle se retourna, arguant d'une conversation sérieuse qu'elle devait avoir avec le boucher. Quant à moi, je déclarai que je devais passer au presbytère. Mais, devançant ses commentaires, je précisai :

— Pas pour demander au pasteur de publier les bans!

★

En arrivant au presbytère, j'eus l'impression de me retrouver chez moi.

La porte était généreusement ouverte et, en entrant, il me sembla que mes épaules se trouvaient du même coup soulagées d'un pesant fardeau.

Mrs Dane Calthrop jaillit du fond du hall, chargée, pour une raison que je n'arrivai pas à imaginer, d'un énorme panier en plastique vert pomme :

— Bonjour! c'est vous? Je m'y attendais.

Elle me tendit le panier. Ne sachant qu'en faire, je restai sur place, embarrassé.

— Devant la porte, sur les marches! m'ordonna Mrs Dane Calthrop avec impatience, comme si j'étais censé le savoir.

J'obéis. Puis je la suivis dans le même salon un peu miteux où nous nous étions installés la première fois. Mrs Dane Calthrop tisonna le feu moribond et y rajouta une bûche. Puis elle me fit signe de m'asseoir, se laissa tomber elle-même dans un fauteuil et me fixa avec des yeux brûlant d'impatience :

— Eh bien? Qu'avez-vous fait?

À en juger par sa fougue, nous aurions aussi bien pu avoir un train à prendre.

— Vous m'avez dit d'agir... J'ai agi.

— Bon. Mais vous avez fait quoi au juste?

Je le lui expliquai. Je lui racontai tout. J'en vins même à lui faire, à mots couverts, des aveux que je ne m'étais jusque-là encore pas faits à moi-même.

— Ce soir? répéta Mrs Dane Calthrop, pensive.

— Oui.

Plongée dans ses réflexions, elle resta un moment silencieuse. N'y tenant plus, je m'exclamai :

— Je n'aime pas ça. Mon Dieu, que je n'aime pas ça!

— Pourquoi cela devrait-il vous plaire?

Ça, bien évidemment, c'était sans réplique.

— J'ai tellement peur pour elle, avouai-je.

Elle me regarda avec bonté.

— Vous ne savez pas, continuai-je, combien... combien elle est courageuse. Si elles parvenaient, par je ne sais quel mystère, à lui faire du mal...

— Je ne vois pas... je ne vois vraiment pas *comment* elles pourraient lui faire du mal, au sens où vous l'entendez.

— Mais elles en ont déjà fait à d'autres.

— C'est ce qu'il semble, oui..., reconnut-elle d'un ton peu satisfait.

— Pour le reste, tout ira bien. Nous avons multiplié les précautions. Aucun dommage physique ne peut l'atteindre.

— Mais c'est un dommage physique, justement, que ces personnes prétendent provoquer, souligna Mrs Dane Calthrop. Elles se targuent d'agir sur le corps par la seule puissance de l'esprit. Maladies, affections virales... Très intéressant si c'est vrai. Mais quelle horreur! Il faut y mettre un terme, comme nous en étions tombés d'accord.

— Encore une fois, le risque, c'est elle qui le prend, marmonnai-je.

— Il faut bien que quelqu'un le prenne, répliqua Mrs Dane Calthrop sans plus s'émouvoir. Que ce ne soit pas vous, et vous voilà blessé dans votre amour-propre ! Il faut vous faire une raison. Ginger est idéale pour le rôle. Elle sait se dominer et elle est intelligente. Elle ne vous laissera pas choir.

— Ce n'est pas pour ça que je m'inquiète !

— Eh bien, ne vous inquiétez pas du tout. Ce n'est pas ça qui peut l'aider. Et puis regardons la réalité en face. Si cette aventure devait lui coûter la vie, au bout du compte elle ne serait pas morte pour rien.

— Dieu du ciel, comme vous y allez !

— Il faut bien que quelqu'un mette les points sur les *i*, riposta Mrs Dane Calthrop. Et mieux vaut toujours envisager le pire. Vous n'avez pas idée de ce que c'est apaisant pour les nerfs. Vous en retirez la conviction immédiate qu'aucune situation ne peut être aussi effroyable que ce que vous êtes en mesure d'imaginer.

Elle m'adressa un petit signe de tête censé me rassurer.

— Vous avez peut-être raison, répondis-je, néanmoins sceptique.

J'en vins aux détails :

— Vous avez le téléphone, ici ?

— Naturellement.

Je lui expliquai ce que j'avais en tête. Puis j'enchaînai :

— Après, quand j'en aurai terminé avec... euh... l'affaire de ce soir, je peux avoir besoin de rester en contact avec Ginger. De l'appeler tous les jours. Pourrai-je lui téléphoner d'ici ?

— Mais bien entendu. Chez Rhoda, il y a trop d'allées et venues. Vous voulez être sûr de ne pas être écouté.

— Je vais rester quelques jours chez Rhoda. Ensuite, j'irai peut-être à Bournemouth. Je ne suis pas autorisé à... rentrer à Londres.

— Inutile de voir si loin. Pas au-delà de ce soir.

— Ce soir...

Je me levai et prononçai des paroles tout à fait incongrues dans ma bouche :

— Priez pour moi... priez pour nous.

— Cela va de soi, répondit Mrs Dane Calthrop, étonnée que j'aie cru nécessaire de le demander.

En sortant, je fus pris d'une soudaine curiosité :

— Le panier, c'est pour quoi faire ?

— Le panier ? Oh ! c'est pour les enfants de l'école. Pour qu'ils aillent chercher des baies et des feuilles dans les haies... afin de décorer l'église. Il est hideux, n'est-ce pas ? Mais si commode...

Je contemplai la somptuosité automnale alentour. Pareille beauté, pareille douceur de vivre...

— Que les anges et les ministres de Dieu nous viennent en aide, dis-je.

— *Amen*, conclut Mrs Dane Calthrop.

★

L'accueil que je reçus au *Cheval pâle* fut conventionnel au possible. Je ne sais pas à quoi je m'attendais au juste, mais pas à ça.

Vêtue d'une robe de lainage noir très simple, Thyrza Grey m'ouvrit la porte et me déclara d'un ton neutre :

— Ah ! vous voilà. C'est bien. Nous allons pouvoir dîner tout de suite.

Rien n'aurait pu être plus prosaïque, plus normal...

Le couvert était mis pour un repas sans apparat, au fond du hall. Nous eûmes droit à un potage, une omelette et du fromage. Bella faisait le service. Elle portait elle aussi une robe noire et avait plus que jamais l'air de sortir d'un tableau primitif italien. Sybil affichait un côté nettement plus exotique. Elle était habillée d'une longue tunique bariolée, rebrodée d'or. Elle avait, pour l'occasion, abandonné ses colliers, mais deux lourds bracelets d'or lui enserraient les poignets. Elle picora un minuscule morceau d'omelette, sans plus. Elle parla peu, comme si elle se considérait très loin de nous, habitée de préoccupations beaucoup moins terre à terre. C'était censé impressionner. Mais ça tombait à plat. Ça sentait le chiqué.

Le peu de conversation échangée, Thyrza Grey le pimenta de commentaires sur les derniers événements locaux. Elle était, ce soir-là, la typique vieille fille anglaise retirée à la campagne, aimable, efficace, ne s'intéressant à rien qu'à son entourage immédiat.

Je suis cinglé, complètement cinglé, ne tardai-je pas à me dire. Qu'y avait-il donc à redouter ici ? Même Bella avait cette fois l'air d'une vieille paysanne un peu demeurée — comme des centaines d'autres créatures dans son genre, fruits de la consanguinité, restées à l'écart de toute éducation, de toute espèce d'ouverture sur le monde.

Rétrospectivement, ma conversation avec Mrs Dane Calthrop me paraissait fantasmagorique. Nous nous étions monté le bourrichon et avions imaginé Dieu sait quoi. L'idée que Ginger — Ginger avec ses cheveux teints et son faux nom — puisse encourir un danger du fait des menées de ces trois bonnes femmes tout ce qu'il y a de quelconques était proprement risible !

Le dîner prit fin.

— Pas de café, déclara Thyrza d'un ton d'excuse en se levant. Il ne faut pas que nous soyons surexcitées. Sybil ?

— Oui, répondit Sybil en adoptant la mine résolument extatique de qui débarque à l'instant d'une autre planète. Je dois aller faire les préparatifs...

Bella se mit à débarrasser la table. Je portai mes pas vers l'endroit où se trouvait suspendue la vieille enseigne du pub. Thyrza me suivit.

— Dans cette lumière, vous ne pouvez pas vraiment la voir, murmura-t-elle dans mon dos.

C'était vrai. Le hall était éclairé par de faibles ampoules électriques, masquées par des abat-jour en parchemin épais. Et reconnaître un cheval dans la silhouette pâle et décolorée que l'on entrevoyait sur le fond sombre du panneau incrusté de crasse requérait une certaine bonne volonté.

— Cette rouquine qui a séjourné chez Rhoda — comment s'appelle-t-elle déjà? Ginger quelque chose — avait promis de le nettoyer et de le restaurer, rappela Thyrza. Elle ne doit même plus s'en souvenir.

Puis, l'air de ne pas y toucher, elle ajouta :

— Elle travaille dans je ne sais quelle galerie, à Londres.

Entendre ainsi évoquer Ginger me fit une drôle d'impression.

— Cela pourrait être intéressant, articulai-je en examinant le tableau.

— Ce n'est pas de la bonne peinture, bien sûr, reprit Thyrza. Une simple croûte. Mais elle convient bien à l'endroit... et elle a au moins trois cents ans d'âge.

— C'est prêt.

Nous nous retournâmes brusquement.

Bella venait d'émerger de l'obscurité et nous faisait signe.

— Il est temps de passer aux choses sérieuses, décréta Thyrza, toujours vive et terre à terre.

Je la suivis dehors vers la grange reconvertie.

Le ciel était couvert, la nuit noire et sans étoiles. Nous émergeâmes de cette épaisse obscurité pour entrer dans la longue pièce illuminée.

Avec la nuit, la grange s'était métamorphosée. En plein jour, elle m'avait fait l'effet d'une agréable bibliothèque. Maintenant, elle avait quelque chose de plus. Il y avait des lampes, mais celles-ci n'étaient pas allumées. L'éclairage indirect inondait la pièce d'une lumière douce et froide. Dans son centre, on avait dressé une sorte de divan d'apparat, recouvert d'une étoffe pourpre brodée de signes cabalistiques.

À l'autre bout de la pièce, j'aperçus un petit brasero à côté d'une grande bassine de cuivre visiblement ancienne.

À l'opposé, presque contre le mur, se trouvait un lourd fauteuil au dossier de chêne. Thyrza me poussa vers lui :

— Asseyez-vous là.

J'obéis. Le comportement de Thyrza avait changé. Bizarrement, je n'aurais pas su préciser en quoi consistait ce changement. Il ne s'agissait pas, comme chez Sybil, de simagrées occultistes. C'était plutôt comme si on avait levé le rideau de la vie quotidienne, normale et vulgaire. Derrière était apparue la vraie femme, avec des manières de chirurgien approchant la table d'opération pour une difficile et dangereuse intervention. Cette impression fut encore renforcée quand elle sortit d'un placard une espèce de longue blouse enveloppante qui, dans la lumière, paraissait tissée de fils métalliques. Elle enfila de longs gants dont les mailles fines ressemblaient à celles d'un gilet pare-balles.

— Il faut prendre ses précautions, déclara-t-elle.

Cette phrase me frappa par son côté légèrement menaçant.

Puis elle s'adressa à moi avec insistance, d'une voix profonde :

— Il faut que vous compreniez bien, Mr Easter-brook, qu'il est rigoureusement impératif que vous restiez bien tranquillement où vous êtes. Vous ne devez à aucun prix vous lever de ce fauteuil. Cela pourrait être dangereux. Il ne s'agit pas ici d'un jeu d'enfants. Je fais appel à des forces redoutables pour qui ne sait pas les maîtriser !

Elle marqua un temps, puis s'enquit :

— Avez-vous apporté ce qu'on vous avait demandé ?

Sans un mot, je lui tendis le gant de daim marron que j'avais sorti de ma poche.

Elle le prit et se dirigea vers une lampe en métal à l'abat-jour flexible. Elle actionna la lumière et tint le gant sous ses rayons, lesquels étaient d'une si étrange couleur blafarde que le magnifique marron du gant vira au gris le plus plat.

Elle éteignit la lampe en hochant la tête avec approbation :

— C'est parfait. Les émanations physiques de sa propriétaire sont très puissantes.

Elle s'en fut poser le gant, au bout de la pièce, sur ce qui paraissait être un imposant meuble radio. Puis elle haussa un peu la voix :

— Bella! Sybil! Nous sommes prêts.

Sybil entra la première. Sur sa robe bariolée, elle portait un long manteau noir qu'elle jeta de côté d'un geste théâtral et qui s'étala sur le sol comme une flaque d'encre. Elle s'avança.

— J'espère que tout ira bien, déclara-t-elle. On ne sait jamais. Je vous en prie, Mr Easterbrook, ne soyez pas sceptique, cela entraverait le déroulement de la cérémonie.

— Mr Easterbrook n'est pas venu ici pour se moquer, riposta Thyrza. Son ton trahissait un léger agacement.

Sybil s'allongea sur le divan pourpre. Thyrza se pencha sur elle et arrangea les draperies.

— Vous êtes bien installée? lui demanda-t-elle avec sollicitude.

— Oui, merci, ma chère.

Thyrza éteignit quelques lumières. Puis elle fit rouler ce qui était, en fait, une espèce de ciel de lit à roulettes, qu'elle installa de façon à couvrir le divan et à laisser Sybil dans une ombre profonde, au centre d'une zone crépusculaire.

— Trop de lumière nuit à une transe totale, expliqua-t-elle. Maintenant, je pense que nous sommes prêtes. Bella?

Bella sortit de l'ombre. Les deux femmes s'approchèrent de moi. De sa main droite, Thyrza prit ma main gauche. De sa main gauche, elle prit la main droite de Bella, et la main gauche de Bella attrapa ma main droite. La main de Thyrza était ferme et sèche. Celle de Bella, froide et molle comme une limace, me fit frémir de dégoût.

Thyrza avait dû appuyer sur un bouton quelconque parce qu'une vague musique nous parvint soudain du plafond. Je reconnus la *Marche funèbre* de Mendelssohn.

« De la mise en scène, me dis-je à moi-même avec mépris. Un grossier montage, bon pour les gogos. » Mais en dépit de mon état d'esprit froid et critique, j'éprouvais au fond de moi-même une appréhension involontaire.

La musique s'arrêta. Suivit une longue attente. On n'entendait plus que le bruit des respirations : celle de Bella, légèrement sifflante ; celle de Sybil, profonde et régulière.

Et puis, tout à coup, Sybil se mit à parler. Non pas de sa voix à elle, mais d'une voix grave d'homme, aussi différente qu'il était possible de son habituelle intonation affectée. Et avec un accent étranger guttural.

— Je suis là, dit la voix.

On me lâcha les mains. Bella s'enfonça dans l'ombre. Thyrza intervint :

— Bonsoir. Es-tu Macandal ?

— Je suis Macandal.

Thyrza s'approcha du divan et écarta le ciel de lit. Le visage de Sybil se trouva éclairé par une douce lumière. Profondément endormie, elle paraissait très différente. Les traits détendus, elle avait l'air beaucoup plus jeune. On aurait presque pu la trouver belle.

— Es-tu prêt, Macandal, à obéir à mon désir et à ma volonté ? demanda Thyrza.

— Oui, répondit la nouvelle voix grave.

— Protégeras-tu de toute blessure et douleur physique le corps de la Dossa allongée ici et que tu habites maintenant ? Consacreras-tu sa force vitale à mes desseins, de façon à ce que mes desseins s'accomplissent à travers lui ?

— Je le ferai.

— Feras-tu en sorte que la mort passe à travers lui, obéissant aux lois naturelles qui s'exercent dans le corps du récipiendaire ?

— Il faut envoyer la morte préparer son entrée dans la mort. Qu'il en soit fait ainsi.

Thyrza recula d'un pas. Bella réapparut et lui tendit un crucifix. Thyrza le plaça à l'envers sur la poitrine de Sybil. Puis Bella apporta une petite fiole verte. Thyrza laissa tomber quelques gouttes du liquide qu'elle contenait sur le front de Sybil et traça un signe avec son doigt. Il me sembla qu'il s'agissait aussi d'un signe de croix à l'envers.

— De l'eau bénite de l'église catholique de Garsington, m'expliqua-t-elle brièvement.

Sa voix, tout à fait normale, aurait dû rompre le charme. Mais non, cela ne faisait que rendre toute l'histoire encore plus inquiétante.

Finalement, elle apporta l'Asson, cet horrible hochet que nous avions déjà vu. Elle le secoua par trois fois, puis serra les mains de Sybil autour de lui.

Elle recula enfin et dit :

— Tout est prêt.

— Tout est prêt, répéta Bella.

— Vous n'êtes pas très impressionné, n'est-ce pas, par tout ce rituel ? remarqua Thyrza à voix basse. Certains de nos visiteurs le sont. Mais pour vous, tout ça c'est du galimatias... N'en soyez pas si sûr, cependant. Le rituel — un ensemble de mots et de phrases sanctifiés par le temps et l'usage — n'est pas sans effet sur l'esprit humain. Quelles sont les causes de l'hystérie collective des foules ? Nous ne le savons pas au juste. Mais c'est un phénomène qui existe bel et bien. Et ces anciens usages en font partie — en font nécessairement partie, à mon avis.

Bella était sortie de la pièce. Elle revint avec un coq blanc qui se débattait pour se libérer.

Elle s'agenouilla et, avec de la craie blanche, se mit à tracer des signes sur le sol autour du brasero et de la bassine de cuivre. Elle posa le coq avec son bec crochu sur le cercle blanc qui entourait la bassine et il resta là, immobile.

Elle dessina encore quelques signes tout en chantant d'une voix basse et gutturale. Je ne comprenais pas les paroles, mais il était clair que, agenouillée et se balançant, elle se préparait à atteindre une espèce d'extase obscène.

— Cela ne vous plaît pas beaucoup? me dit Thyrza qui m'observait. C'est vieux, vous savez, très vieux. Ce sont des secrets qui se transmettent de mère en fille.

Je n'arrivais pas à comprendre Thyrza. Elle ne faisait rien pour renforcer l'effet qu'aurait pu produire sur moi l'horrible numéro de Bella. Elle assumait volontairement le rôle de commentateur.

Bella tendit les mains vers le brasero et aussitôt une flamme vacillante en jaillit. Elle la saupoudra de je ne sais quelle substance et un parfum lourd et écœurant se répandit.

— Nous sommes prêts, déclara Thyrza.

Le chirurgien, pensai-je, s'empare de son scalpel...

Elle alla ouvrir ce que j'avais pris pour un meuble radio et qui se révéla être un dispositif électrique de nature très compliquée. Comme on pouvait le déplacer aussi facilement qu'une table roulante, elle le poussa lentement, avec précaution, jusqu'au divan.

Là, penchée sur l'appareil, elle se mit à régler des commandes en murmurant pour elle-même :

— Aiguille, nord-nord ouest... angles... c'est à peu près ça.

Elle attrapa le gant, l'installa au cœur du dispositif dans une position bien déterminée et alluma à côté de lui une petite lampe violette.

Puis elle s'adressa à la forme inerte allongée sur le divan :

— Sybil Diana Helen, vous êtes libérée de votre enveloppe charnelle que préserve pour vous l'esprit de Macandal. Vous êtes libre de ne faire plus qu'un avec la propriétaire de ce gant. Comme chez tous les êtres humains, sa vie n'a pour but que la mort.

Il ne peut y avoir de bonheur complet que dans la mort. La mort seule résout tous les problèmes. La mort seule procure la vraie paix. Tous les grands l'ont compris. Rappelez-vous Macbeth : « Après une vie fiévreuse et agitée, il dort en paix. » Rappelez-vous le ravissement de Tristan et Iseult. L'amour et la mort. Mais des deux, c'est la mort la plus forte...

Les mots résonnaient, se renvoyaient en écho, se répétaient... la volumineuse machine s'était mise à émettre un bourdonnement sourd, ses ampoules clignotaient... je me sentais comme étourdi, transporté. Il se passait là un phénomène dont je ne trouvais plus la force de me moquer. Son pouvoir déchaîné, Thyrza tenait totalement asservi le corps prostré sur le divan. Elle s'en servait. Elle s'en servait en vue d'un but très précis. Je me rendais vaguement compte de ce qui avait effrayé Mrs Oliver, non chez Thyrza, mais chez cette Sybil apparemment stupide. Sybil possédait un pouvoir, un don naturel qui n'avait rien à voir avec l'esprit ou l'intellect ; c'était un pouvoir physique, le pouvoir de se séparer de son corps. Et ainsi séparé, son esprit n'était plus le sien, c'était l'esprit de Thyrza. Et Thyrza utilisait cette domination provisoire.

Oui, mais l'appareil ? Que venait faire l'appareil là-dedans ?

Brusquement, toutes mes terreurs se rabattirent sur ce dispositif électrique. De quel secret diabolique était-il le truchement ? Pouvait-on produire des rayons capables d'agir sur les cellules du cerveau ? Sur les cellules d'un cerveau bien précis ?

Thyrza poursuivait :

— Le point faible... Il y a toujours un point faible... profondément enfoui dans la chair... De la faiblesse naît la force, la force et la sérénité et la mort... Vers la mort, lentement, naturellement, vers la mort... le vrai chemin, le chemin normal. Les cellules du corps obéissent au cerveau... Il les dirige... il les dirige... Vers la mort... La Mort, le conquérant... La Mort... bientôt... très bientôt... La Mort... la Mort... la MORT !...

Sa voix enfla et finit dans un cri... Un autre horrible cri de bête sortit de la bouche de Bella. Elle se leva, un couteau fendit l'air... le coq poussa un terrible gloussement étranglé... Du sang dégoutta dans la bassine de cuivre. Bella se mit à courir en tendant la bassine et en hurlant :

— Le sang... Le *sang*... Le SANG !

Thyrza retira le gant de la machine. Bella le prit, le trempa dans le sang et le rendit à Thyrza qui le remit en place.

La voix de Bella s'éleva de nouveau en un grand cri extatique :

— *Le sang... le sang... le sang... !*

Elle se mit à courir comme une possédée, à courir et à courir encore autour du brasero puis tomba, convulsée, sur le sol. La flamme du brasero vacilla et s'éteignit.

Je me sentais au bord de la nausée. Agrippé aux bras de mon fauteuil, je ne voyais plus rien, j'avais l'impression que ma tête tournoyait dans l'espace...

J'entendis un déclic. Le bourdonnement de l'appareil cessa.

La voix de Thyrza s'éleva alors, claire et posée :

— La vieille magie et la nouvelle. Les croyances anciennes et les nouveautés de la science. Ensemble, elles vaincront...

18

RÉCIT DE MARK EASTERBROOK

— Alors, qu'est-ce qui s'est passé ? me demanda Rhoda, brûlant de curiosité, au cours du petit déjeuner.

— Bof ! le cirque habituel, répondis-je avec nonchalance.

Le regard de Despard, posé sur moi, me mettait mal à l'aise. L'homme était perspicace.

— Elles ont dessiné des pentagrammes sur le sol?

— Tout un tas.

— Pas de coq blanc?

— Bien sûr que si. C'est le rayon de Bella, c'est là qu'elle intervenait avec son numéro de farces et attrapes.

— Et des transes et tout le fourbi?

— Comme tu dis, et des transes et tout le fourbi.

Rhoda semblait déçue.

— Tu as l'air d'avoir trouvé ça ennuyeux, remarqua-t-elle d'un ton affligé.

Je lui répondis qu'en ce domaine tout était décidément blanc bonnet et bonnet blanc. Mais qu'en tout cas, j'avais satisfait ma curiosité.

Plus tard, quand Rhoda se rendit dans la cuisine, Despard me demanda :

— Ça vous a un peu secoué, pas vrai?

— Ma foi...

J'aurais souhaité affecter le ton de la plaisanterie, mais Despard n'était pas homme à s'en laisser conter. Je répondis lentement :

— Cela a été... en un sens... plutôt répugnant.

Il hocha la tête.

— On n'y croit pas vraiment, acquiesça-t-il. Pas avec sa raison. Mais ces choses-là donnent des résultats. J'ai vu ça de près en Afrique orientale. Les sorciers guérisseurs ont une terrible influence sur les gens, et il faut reconnaître qu'il se produit de curieux phénomènes, impossibles à expliquer de façon rationnelle.

— Des morts?

— Oh! oui. Si un homme sait qu'il a été désigné pour mourir, il meurt.

— Ça tient au pouvoir de la suggestion, je suppose.

— Sans doute...

— Mais cette explication ne vous satisfait pas vraiment.

186

— Non, pas vraiment. Il y a des cas qu'aucune de nos théories scientifiques occidentales ne parvient à expliquer. En général, cela ne marche pas sur les Européens — encore que j'aie parfois été témoin de cas troublants. Mais si vous avez ces croyances-là dans le sang, alors vous êtes cuit !

— Pas question de se montrer trop catégorique, je suis d'accord avec vous. Même chez nous, il peut se produire des choses peu banales. Un jour que j'étais à l'hôpital, à Londres, on a amené une fille, une névrosée. Elle se plaignait de douleurs terribles dans les os, dans les bras, etc. que rien ne paraissait justifier. Les médecins soupçonnaient un cas d'hystérie. L'un des internes lui a alors expliqué que si on lui passait une barre d'acier chauffée à blanc sur le bras, elle guérirait peut-être. Était-elle prête à essayer ? Elle y a consenti.

» La fille a détourné la tête et fixé le plafond. Le médecin a trempé une règle en verre dans de l'eau froide et la lui a posée sur le bras. La fille a poussé un hurlement de douleur effroyable. « Vous n'allez pas tarder à vous sentir beaucoup mieux », lui a affirmé l'interne. « Je l'espère, a-t-elle répondu, mais ç'a été horrible. J'avais l'impression d'être calcinée. » Mais le plus étrange, pour moi, ce n'était pas qu'elle ait cru qu'on la brûlait, c'était que son bras était véritablement brûlé. Partout où la règle l'avait effleurée, sa chair était hérissée de cloques.

— Et elle a été guérie ? demanda Despard avec curiosité.

— Oh ! oui. Sa névrite, ou Dieu sait ce qu'elle avait, a disparu à jamais. Mais il a fallu traiter son bras brûlé au dernier degré.

— Extraordinaire ! s'exclama Despard. C'est la preuve qu'il y a bien quelque chose, non ?

— L'interne lui-même en était stupéfait.

— On le serait à moins.

Despard m'examinait d'un air bizarre :

— Pourquoi aviez-vous tellement envie d'assister à cette séance, hier soir ?

Je haussai les épaules :

— Ces trois femmes m'intriguent. Je voulais voir quel genre de spectacle elles allaient mettre en scène.

Despard n'ajouta plus rien. Mais je suis persuadé qu'il ne me crut pas. Comme je l'ai déjà signalé, c'était un garçon perspicace.

Un peu plus tard, je me dirigeai vers le presbytère. La porte était ouverte, mais on aurait dit qu'il n'y avait personne dans la maison.

Je gagnai la petite pièce où se trouvait le téléphone et appelai Ginger. Sa voix me parvint au bout de ce qui me sembla une éternité.

— Allô !

— Ginger !

— Ah ! c'est *vous*. Alors ? Qu'est-ce qui s'est passé ?

— Vous vous sentez bien ?

— Evidemment, je me sens bien. Je me porte comme un charme. Pourquoi cette question ?

Un immense soulagement m'envahit.

Il n'était rien arrivé à Ginger. Son dynamisme habituel me mit du baume au cœur. Comment avais-je pu croire que ces malheureuses pitreries pouvaient atteindre quelqu'un d'aussi équilibré que Ginger ?

— Je me disais que vous auriez pu avoir des cauchemars, répondis-je assez platement.

— Eh bien, non. Je m'attendais à en avoir, mais le pire qui me soit arrivé, c'est de me réveiller toutes les cinq minutes pour me demander si je n'éprouvais pas par hasard un symptôme particulier. Et le seul symptôme enregistré, c'est de l'indignation parce qu'il ne m'arrivait rien.

Je me mis à rire.

— Mais allez-y, racontez, insista Ginger. Qu'est-ce qui s'est passé ?

— Rien de bien particulier. Sybil est entrée en transes, allongée sur un divan pourpre.

Ginger éclata de rire.

— Vraiment? C'est merveilleux! C'était une transe alcoolique? Ne me dites pas qu'elle était nue?

— Sybil n'est pas Mme de Montespan. Et ce n'était pas une messe noire. En fait, elle portait un tas de vêtements brodés de toute une série de symboles.

— Ça lui ressemble davantage. Et Bella? Qu'est-ce qu'elle faisait?

— Là, c'était plutôt répugnant. Elle a tué un coq blanc et trempé votre gant dans son sang.

— Quelle horreur... Et quoi d'autre?

— Un tas de choses, répondis-je.

J'estimai que je ne m'en sortais pas mal. Je poursuivis:

— J'ai eu droit au grand jeu. Thyrza a convoqué un esprit — un esprit dénommé Macandal, je crois bien. Puis il y a eu des lumières colorées et des chants. Je plains les gens impressionnables à qui ça aurait pu flanquer la frousse ou faire perdre la boule.

— Mais vous, vous n'avez pas eu la frousse?

— Bella m'a fait un peu peur, avouai-je. Elle brandissait un très vilain couteau et j'ai craint un moment qu'elle ne veuille me faire subir le même sort que son coq.

Ginger insista encore:

— Rien d'autre ne vous a effrayé?

— Je ne suis pas très sensible à ce genre de manifestations.

— Alors pourquoi avez-vous eu l'air si soulagé d'apprendre que j'étais en pleine forme?

— Eh bien, parce que je...

Je m'interrompis.

— Très bien, répliqua obligeamment Ginger. Inutile de répondre à ça. Et inutile d'essayer de vous en sortir en minimisant toute l'histoire. Quelque chose vous a bel et bien impressionné.

— C'est seulement, je crois, le fait qu'elles... que Thyrza, veux-je dire, avait l'air tellement sûre du résultat...

— Sûre que ce que vous venez de me raconter pouvait réellement tuer quelqu'un? s'enquit Ginger, incrédule.

— Oui. C'est fou, n'est-ce pas?

— Et Bella? Elle n'en paraissait pas sûre?

Je réfléchis un instant, puis :

— J'ai l'impression que tout ce que Bella voit là-dedans, c'est le plaisir qu'elle prend à tuer des coqs et à se vautrer dans une espèce d'orgie de malédictions. L'entendre psalmodier « Le sang... le sang », c'était vraiment quelque chose.

— J'aurais bien voulu l'entendre, regretta Ginger.

— Et moi, j'aurais bien voulu que vous l'entendiez. Franchement, ça valait le déplacement.

— Vous vous sentez maintenant un peu ragaillardi, non? demanda Ginger.

— Qu'est-ce que vous voulez dire par là?

— Ça n'allait pas fort quand vous m'avez appelée, mais j'ai l'impression que vous avez repris du poil de la bête.

Elle avait deviné juste. Sa voix avait opéré des miracles. Malgré tout, je tirai en secret mon chapeau à Thyrza Grey. Aussi ridicule qu'ait été toute cette histoire, elle avait réussi à semer doutes et appréhensions dans mon esprit. Mais plus rien n'avait à présent d'importance. Ginger était saine et sauve. Elle n'avait même pas fait de cauchemars.

— Et maintenant, quelle est la suite du programme? Je vais devoir rester confinée ici encore une semaine?

— Oui, si je veux arracher ses cent livres à Mr Bradley.

— Tout plutôt que renoncer à ça, hein? Vous vous incrustez chez Rhoda?

— Un petit moment. Ensuite je me transporterai à Bournemouth. Il faut que vous me téléphoniez tous les jours, ne l'oubliez pas... ou plutôt c'est moi qui vous téléphonerai, ça vaut mieux. À l'heure qu'il est, je vous appelle du presbytère.

— Comment va Mrs Dane Calthrop?

— Elle est en pleine forme. Au fait, je lui ai tout raconté.

— Je l'aurais parié. Bon, il va falloir que je vous quitte. La vie s'annonce bien ennuyeuse, pour une semaine ou deux. J'ai pris du travail avec moi, et une bonne partie de ces livres qu'on se propose toujours de lire sans jamais trouver le temps de le faire.

— Qu'avez-vous raconté à votre galerie?

— Que je partais en croisière.

— Vous n'aimeriez pas que ce soit vrai?

— Pas vraiment, répondit Ginger.

Mais sa voix avait pris une tonalité un peu bizarre.

— Aucun personnage suspect ne vous a approchée?

— Rien que ceux auxquels on peut s'attendre. Le laitier, l'employé qui relève le compteur du gaz, une femme qui m'a demandé quels médicaments et quels produits cosmétiques j'utilisais, quelqu'un qui voulait me faire signer une pétition pour l'interdiction des armes nucléaires et une femme qui désirait une souscription en faveur des aveugles. Oh! et puis les différents gardiens d'étage, évidemment. Très obligeants. L'un d'eux m'a changé un fusible.

— Rien que de très inoffensif, remarquai-je.

— Vous vous attendiez à quoi?

— Je ne sais pas au juste.

J'avais sans doute souhaité une menace bien précise, contre laquelle j'aurais pu me gendarmer.

Mais les victimes du *Cheval pâle* mouraient de leur plein gré. Non, de leur plein gré n'était pas l'expression qui convenait. On s'arrangeait pour que se développent chez eux, par un procédé qui me demeurait incompréhensible, des germes de faiblesse physique.

Ginger repoussa le vague doute que j'émis sur l'authenticité du releveur du gaz:

— Il avait des papiers en règle. Je les lui ai réclamés. C'était bien le type qui monte sur une échelle dans la salle de bain pour noter les chiffres indiqués sur le compteur. Il était beaucoup trop important pour toucher aux tuyaux ou aux brûleurs. Et je peux vous assurer qu'il n'a pas provoqué une fuite de gaz dans ma chambre à coucher.

Non, le *Cheval pâle* ne s'occupait pas de fuites accidentelles de gaz... de rien d'aussi bassement tangible et matériel !

— Ah ! j'ai eu aussi un autre visiteur, se rappela Ginger. Votre ami, le Dr Corrigan. Il est charmant.

— C'est Lejeune qui a dû vous l'envoyer.

— Il avait l'air d'estimer qu'il devait se rallier à son homonyme. En avant, les Corrigan !

Je raccrochai, grandement soulagé.

En rentrant, je trouvai Rhoda sur la pelouse, occupée à enduire son chien de je ne sais quel onguent.

— Le vétérinaire vient de partir, m'expliqua-t-elle. D'après lui, il a la teigne. Je crois que c'est terriblement contagieux. Je n'ai pas envie que les enfants l'attrapent, ou les autres chiens.

— Ou même des êtres humains adultes, suggérai-je.

— Oh ! d'habitude, ce sont surtout les enfants qui en sont atteints. Par bonheur, ils sont à l'école toute la journée... Reste tranquille, Sheila. Arrête de gigoter. Ce produit fait tomber les poils, poursuivit-elle. Elle aura la pelade pendant quelque temps, mais ça repoussera.

Je hochai la tête, lui offris mes services qu'elle déclina — ce dont je lui fus reconnaissant —, et repris ma promenade.

Comme je l'ai toujours professé, l'embêtant, à la campagne, c'est qu'il y a rarement plus de trois directions dans lesquelles vous puissiez vous aventurer. A Much Deeping, le choix se limitait à la route de Garsington, à celle de Long Cottenham, ou encore au chemin de Shadhanger jusqu'à la

grand-route Londres-Bournemouth, trois kilomètres plus loin.

Le lendemain, à l'heure du déjeuner, j'avais déjà
pratiqué les routes de Garsington et de Long Cottenham. Il me restait à explorer Shadhanger Lane.

Je me mis en marche et une idée me vint en
cours de route. Priors Court donnait sur Shadhanger Lane. Pourquoi ne pas aller rendre visite à
Mr Venables ?

Plus je la caressais, plus l'idée me plaisait. Cette
démarche n'aurait rien de suspect. Lors de mon
dernier séjour ici, Rhoda m'y avait emmené. Rien
de plus simple et de plus naturel que de passer
pour demander à voir un objet dont je n'avais pas
eu le loisir de me repaître véritablement les yeux ce
jour-là.

Le fait que Venables ait été reconnu par ce pharmacien — comment s'appelait-il déjà ? Ogden ?
Osborne ? — était intéressant, pour ne pas dire
plus. Même si, d'après Lejeune, il aurait été impossible à Venables, étant donné son handicap, d'être
l'homme en question, il était quand même curieux
que cette erreur soit tombée sur quelqu'un qui
vivait justement dans les environs et dont le personnage, de surcroît, aurait si bien convenu.

Il y avait du mystère autour de Venables. Je
l'avais senti tout de suite. J'étais convaincu qu'il
possédait un cerveau remarquablement agencé. Et,
de plus, il avait quelque chose de... quel mot
employer ?... de rusé. De destructeur. D'un rapace.
L'homme était sans doute trop intelligent pour tuer
lui-même, mais capable d'organiser à merveille un
meurtre si le désir l'en prenait.

Je voyais très bien Venables dans le rôle de celui
qui tire les ficelles en coulisse. Mais ce pharmacien, cet Osborne, avait soutenu qu'il avait vu
Venables marcher dans une rue de Londres.
Comme c'était impossible, l'identification était
sans valeur, et le fait que Venables vivait dans les
environs du *Cheval pâle* n'avait aucune signification.

Néanmoins, j'avais très envie de jeter encore un œil sur Mr Venables. Arrivé à destination, je franchis donc les grilles de Priors Court et les trois cents mètres d'allée sinueuse qui menaient à la porte.

Celle-ci me fut ouverte par le même domestique que la première fois. Il me fit savoir que Mr Venables était bien chez lui et me pria de l'excuser de m'abandonner un instant dans le hall.

— Mr Venables ne se sent pas toujours assez bien pour recevoir des visiteurs, m'expliqua-t-il.

Il s'éclipsa pour revenir m'informer quelques minutes plus tard que Mr Venables serait ravi de me voir.

Venables me reçut on ne peut plus chaleureusement, faisant rouler son fauteuil jusqu'à moi et m'accueillant comme si j'étais un ami de toujours :

— C'est très gentil de votre part de me rendre visite. J'avais appris que vous étiez de nouveau parmi nous et j'allais justement téléphoner ce soir à notre chère Rhoda pour vous proposer de venir tous déjeuner ou dîner ici.

Je lui demandai pardon de m'être introduit chez lui sous le coup d'une impulsion soudaine. J'étais parti faire une promenade et, en passant devant sa grille, j'avais décidé d'entrer sans y être *invité* :

— En vérité, je serais très heureux de revoir vos miniatures mongoles. Je n'ai pas eu vraiment le temps de les admirer l'autre jour.

— Bien sûr. Cela me fait plaisir que vous les appréciiez. Elles sont si raffinées...

Après quoi, notre conversation prit un tour purement technique. Je dois reconnaître que je me réjouissais sincèrement de voir de plus près quelques-uns des merveilleux objets qu'il avait en sa possession.

On apporta le thé et il insista pour que je le prenne avec lui.

Le thé n'est pas mon en-cas favori, mais je fis mes délices du thé de chine fumé et des tasses de porcelaine fine dans lesquelles il était servi. Il y avait aussi des toasts chauds au beurre d'anchois et un divin plum-cake à l'ancienne qui me rappela l'heure du thé chez ma grand-mère, quand j'étais petit.

— Fait à la maison, remarquai-je, comblé.

— Naturellement! Il n'entre jamais chez moi un gâteau du commerce!

— Je sais que vous avez une merveilleuse cuisinière. Vous n'avez pas trop de difficultés à garder du personnel à la campagne, loin de tout comme vous l'êtes?

Venables haussa les épaules :

— Il me faut ce qui se fait de mieux. J'y tiens. Évidemment, cela se paie. Alors je paie.

Toute l'arrogance naturelle du personnage perçait dans ces paroles. Ironique, je répliquai :

— Si on a la chance de pouvoir le faire, il est certain que cela résout bien des problèmes.

— Dans la vie, vous savez, tout dépend de ce que l'on désire. Et l'important, c'est de le désirer assez fort. Il y a tant de gens qui gagnent de l'argent sans avoir la moindre idée de la façon dont ils veulent en jouir! Résultat, ils se trouvent entraînés dans ce qu'on pourrait appeler la machine à faire de l'argent. Ils en deviennent les esclaves. Ils se rendent à leur bureau de bonne heure et le quittent à la nuit tombée. Ils ne prennent jamais le temps de profiter du capital amassé. Quel bénéfice en retirent-ils? Une plus grosse voiture, une plus grande maison, une maîtresse ou une épouse qui leur coûte encore plus cher... et, disons-le tout net, de plus violentes migraines.

Il se pencha vers moi :

— En réalité, gagner de l'argent constitue l'alpha et l'oméga de tous ces hommes riches. Ils l'investissent dans de plus grandes entreprises et font encore plus d'argent. Mais pourquoi? S'arrêtent-ils parfois pour se le demander? Non, ils n'en savent rien.

— Et vous? demandai-je.

— Moi... j'ai toujours su ce que je voulais, répondit-il en souriant. Des loisirs sans fin qui me permettent de contempler les beautés naturelles ou artificielles de ce monde. Puisque, ces dernières années, il m'a été refusé d'aller les voir dans leur propre environnement, je les ai fait venir à moi des quatre coins du monde.

— Mais pour se permettre ça, il est indispensable d'avoir gagné de l'argent au préalable.

— Oui, il faut savoir programmer ses coups, ce qui nécessite une planification précise, mais on n'a plus besoin aujourd'hui, vraiment plus besoin, de s'astreindre à un sordide apprentissage.

— Je ne suis pas sûr de bien vous comprendre.

— Le monde change, Easterbrook. Il l'a toujours fait, mais les changements sont désormais beaucoup plus rapides. Les rythmes se sont accélérés, il faut en profiter.

— Le monde change..., répétai-je, songeur.

— Ce qui nous ouvre des voies nouvelles.

— Ce qui est dommage, m'excusai-je, c'est que vous vous adressiez, hélas, à un homme qui regarde dans la direction opposée, vers le passé et non vers l'avenir.

Venables haussa les épaules :

— L'avenir? Qui peut le prévoir? Je parle d'aujourd'hui, de maintenant, du moment présent! Je ne tiens compte de rien d'autre. Les nouvelles techniques sont faites pour qu'on s'en serve. Nous avons déjà des machines qui peuvent nous donner des réponses, en quelques secondes, là où les hommes ont besoin d'heures ou de journées de travail.

— Des ordinateurs? Des cerveaux électroniques?

— Des techniques de ce genre.

— Pensez-vous que les machines finiront par prendre la place des hommes?

— Des hommes, certainement. C'est-à-dire de

ceux qui ne représentent que la main-d'œuvre. Mais pas de l'Homme. Le Superviseur est nécessaire, le Penseur, l'Homme qui élabore les questions à poser à la machine.

Je secouai la tête, dubitatif.

— L'Homme, le Surhomme? demandai-je, avec une pointe d'ironie.

— Pourquoi pas, Easterbrook? Oui, pourquoi pas? N'oubliez pas que nous connaissons, ou que nous commençons à connaître l'Homme, cet animal humain. La pratique de ce que l'on appelle quelquefois, improprement, le lavage de cerveau nous a ouvert de très intéressantes perspectives dans ce domaine. L'esprit de l'homme, et pas seulement son corps, réagit aussi à certains stimulants.

— Dangereuse doctrine, remarquai-je.

— Dangereuse?

— Pour le patient.

Venables haussa les épaules :

— Tout est dangereux, dans la vie. Nous l'oublions, nous qui avons été élevés dans une des petites poches de la civilisation. Car c'est cela, la civilisation, Easterbrook. De petites poches ici et là où des hommes se sont rassemblés pour se protéger mutuellement et qui, de cette façon, arrivent à dominer la Nature. Ils ont remporté la victoire sur la jungle, mais cette victoire est provisoire. La jungle peut reprendre le dessus à n'importe quel moment. Fières de ce qu'elles étaient, des villes anciennes ne sont plus aujourd'hui que des monticules de terre, recouverts d'une végétation sauvage et de quelques masures, habitées par de pauvres hères simplement occupés à survivre. La vie est toujours synonyme de danger... ne l'oubliez jamais. Il est possible qu'en fin de compte sa destruction ne provienne pas seulement de forces supérieures, mais soit l'œuvre de nos propres mains. Nous sommes tout près de cette échéance, aujourd'hui.

— Personne ne pourrait le nier. Mais ce qui m'intéresse, c'est votre théorie du pouvoir... du pouvoir sur l'esprit.

— Oh! ça..., fit Venables, soudain embarrassé. J'ai probablement exagéré.

Sa gêne et sa reculade partielle me parurent curieuses. Mais Venables vivait très seul. Et un homme seul éprouve parfois le besoin de s'épancher auprès de quelqu'un... de n'importe qui. En me parlant, Venables avait-il imprudemment relâché sa garde?

— L'Homme, le Surhomme... Vous m'avez passionné avec votre version moderne de l'idée.

— Elle n'a rien de bien neuf. La notion de Surhomme remonte très loin. Toutes les philosophies sont fondées sur elle.

— Bien sûr. Mais il me semble que votre Surhomme est assez différent... C'est un homme qui exerce un pouvoir à l'insu de tous. Un homme confortablement installé dans son fauteuil et qui tire les ficelles.

Tout en parlant, je l'observais. Il sourit :

— M'offririez-vous le rôle, Easterbrook? Il ne me déplairait pas, je vous l'avoue. On a besoin d'une compensation pour... *ça!* déclara-t-il d'un ton soudain amer en posant la main sur ses genoux.

— Je ne vous exprime pas ma sympathie, répliquai-je. La sympathie, c'est bien peu pour un homme dans votre situation. Mais permettez-moi de vous dire que si j'avais à imaginer un tel personnage — un homme capable de transformer une catastrophe inattendue en triomphe —, eh bien, à mon avis, vous l'incarneriez parfaitement.

Il se mit à rire sans contrainte :

— Vous me flattez!

Mais il était content. C'était visible.

— Non, ripostai-je. J'ai rencontré assez de gens dans ma vie pour savoir distinguer au premier coup d'œil le personnage exceptionnel, le surdoué.

J'eus peur d'avoir dépassé la mesure. Mais en vérité, peut-on jamais aller trop loin dans la flatterie? Réflexion déprimante s'il en fut! Il est impératif de se forger l'âme afin de ne pas tomber soi-même dans le piège.

— Je me demande ce qui vous a fait dire ça, reprit-il, songeur. Tout ceci ? fit-il en balayant la pièce d'une main négligente.

— Tout ceci, répondis-je, prouve que vous êtes un homme riche qui sait acheter et qui possède à la fois goût et discernement. Mais j'ai l'impression que vous démontrez là beaucoup plus qu'une simple soif de possession. Vous vous êtes organisé de façon à vous procurer une infinité d'objets remarquables, et vous avez pratiquement laissé entendre que vous n'aviez pas eu besoin de vous livrer à un travail acharné pour les acquérir.

— Très juste, Easterbrook, très juste. Comme je vous l'ai dit, il n'y a que les imbéciles qui se tuent au travail. Ce qu'il faut, c'est établir son plan de campagne dans ses moindres détails. Le secret de la réussite n'a rien de compliqué, il est tout au plus le fruit d'une mûre réflexion. Ce qu'il vous faut au départ, c'est une idée simple. Vous l'envisagez sous tous ses aspects. Vous la mettez à exécution. Et le tour est joué !

Je le regardai fixement. Une idée simple... aussi simple que l'élimination de personnes indésirables ? Une action sans danger pour quiconque à part la victime. Conçue par Mr Venables, dans son fauteuil roulant, avec son nez crochu comme le bec d'un oiseau de proie et sa pomme d'Adam proéminente jouant les ludions. Et mise en œuvre... mise à « exécution » par qui ? Par Thyrza Grey ?

— Toutes ces histoires de commande à distance me rappellent certains propos de miss Grey.

— Ah, notre chère Thyrza !

Il s'était exclamé sur un ton d'indulgence polie. Mais un léger frémissement des paupières ne l'avait-il pas trahi ?

— Quelles absurdités ne racontent-elles pas, ces deux chères femmes ! Et elles y croient, vous savez, elles y croient dur comme fer. Avez-vous déjà assisté à une de leurs ridicules séances ? Dans la négative, je suis sûr qu'elles parviendront à vous y contraindre un jour.

J'hésitai un court instant, le temps de décider quel était le meilleur parti à prendre.

— Oui, répondis-je, je... je suis allé à une séance.

— Et vous l'avez trouvée burlesque ? Ou bien avez-vous été impressionné ?

J'évitai son regard et fis de mon mieux pour paraître mal à l'aise.

— Je... oh ! eh bien... évidemment, je ne crois pas vraiment à tout ça. Elles avaient l'air très sincères mais... Oh ! sursautai-je en regardant ma montre, je ne me rendais pas compte qu'il était si tard. Il faut que je me dépêche de rentrer. Ma cousine doit se demander ce que je suis devenu.

— Vous avez tiré un invalide de l'ennui. Bonjour à Rhoda de ma part. Il faut que nous organisions bientôt un déjeuner. Demain, je dois aller à Londres. Il y a une vente très intéressante chez Sotheby's. Des ivoires du Moyen Âge français. Des merveilles ! Vous les apprécierez certainement, si toutefois j'arrive à les acquérir.

Et sur cette note amicale, nous nous séparâmes. Avait-il eu, dans l'œil, une lueur malicieuse en remarquant ma gêne à propos de cette fameuse séance ? Il me semblait bien, mais je n'en étais pas sûr. Je n'étais pas loin de penser que mon imagination ne sollicitait plus mon autorisation pour s'en aller vagabonder à sa guise.

19

RÉCIT DE MARK EASTERBROOK

L'après-midi était déjà très avancé quand je me retrouvai au pied du perron. Le crépuscule se faisait nuit et, comme le ciel était couvert, ce fut d'un pas hésitant que je repris en sens inverse l'allée sinueuse. En jetant un coup d'œil en arrière sur les fenêtres éclairées de la maison, je fis un faux pas, quittai le gravier pour l'herbe et me heurtai à quelqu'un qui arrivait du sous-bois.

C'était un homme de petite taille, mais solidement charpenté. Nous échangeâmes des excuses. Il avait une profonde voix de basse au timbre agréable et à l'intonation un peu pédante.

— Je suis désolé...

— Il n'y a pas de quoi. C'est entièrement ma faute, je vous assure.

— C'est la première fois que je viens, expliquai-je, et je ne sais pas très bien où je mets les pieds. J'aurais dû apporter une lampe électrique.

— Permettez...

L'inconnu sortit une petite torche de sa poche, l'alluma et me la tendit. Éclairé par la lampe, je constatai qu'il était entre deux âges, qu'il avait un visage rond de chérubin, une moustache noire et des lunettes. Il portait un imperméable foncé de bonne qualité et incarnait le summum de la respectabilité. Quoi qu'il en soit, je me demandai pourquoi il ne s'était pas servi lui-même de sa torche puisqu'il s'était donné le mal de l'emporter.

— Ah! fis-je bêtement. Je vois. Je suis sorti du chemin.

Je reculai jusque dans l'allée et voulus lui rendre sa lampe :

— Je ne me perdrai plus, maintenant.

— Non, non, je vous en prie, gardez-la jusqu'à la grille.

— Mais vous... vous n'allez pas vers la maison?

— Non, non. Je vais dans la même direction que vous. Euh... je vais prendre un car pour rentrer à Bournemouth.

— Je vois...

Nous nous mîmes à marcher côte à côte. Mon compagnon paraissait légèrement mal à l'aise. Il voulut savoir si j'allais, moi aussi, à l'arrêt des cars. Je lui répondis que je séjournais dans les environs.

Il y eut de nouveau un silence. Je sentais grandir la gêne chez mon compagnon. Il n'était pas homme à aimer se trouver dans une position fausse.

— Vous avez rendu visite à Mr Venables? me demanda-t-il en s'éclaircissant la gorge.

Je le lui confirmai et ajoutai :

— J'ai cru que vous y alliez aussi.

— Non, répondit-il, non... En fait... J'habite Bournemouth, reprit-il après un instant de silence, du moins près de Bournemouth. Je viens juste d'emménager là-bas, dans un petit pavillon.

Un vague souvenir me revint à l'esprit. Qu'avais-je entendu dire récemment, à propos d'un pavillon à Bournemouth? Tandis que j'essayais de me le rappeler, mon compagnon, de plus en plus mal à l'aise, se sentit contraint de s'expliquer :

— Vous devez juger très bizarre — je reconnais qu'en effet, c'est très bizarre — de buter dans quelqu'un qui erre dans le parc d'une propriété dont la... euh... personne en question ne connaît même pas le propriétaire. Mes raisons sont un peu difficiles à expliquer, mais je vous assure que j'en ai. Tout ce que je peux vous dire c'est que, bien qu'installé depuis peu à Bournemouth, j'y suis honorablement connu et pourrais vous présenter bon nombre de ses estimés résidents prêts à répondre de moi. En fait, je suis un pharmacien qui a récemment cédé une vieille affaire à Londres, et je me suis retiré dans cette région qui m'a toujours beaucoup plu... vraiment beaucoup plu.

La lumière se fit. Je croyais savoir qui était ce petit bonhomme. Mais en attendant, il continuait de plus belle :

— Je m'appelle Osborne, Zacharias Osborne, et comme je vous l'ai dit, j'ai, ou plutôt j'avais, une très gentille affaire à Londres, sur Barton Street, dans le quartier de Paddington Green. Du temps de mon père, c'était un très bon quartier, mais il a tristement changé... oh! oui, beaucoup changé. Il n'est plus ce qu'il était.

Il soupira et secoua la tête. Puis il reprit :

— Nous sommes bien sur la propriété de Mr Venables, n'est-ce pas? Je suppose... euh... que c'est un ami à vous?

— Difficile de le qualifier d'ami, répondis-je après réflexion. Je ne l'avais rencontré qu'une fois avant aujourd'hui, quand j'avais été emmené déjeuner chez lui par des gens qui, eux, sont des amis.

— Ah! oui, je vois... Oui, précisément...

Nous étions arrivés à la grille d'entrée. Après l'avoir franchie, Mr Osborne s'arrêta, hésitant. Je lui rendis sa torche.

— Merci, dis-je.

— De rien. Tout le plaisir a été pour moi. Je...

Il s'arrêta de nouveau, puis les mots se précipitèrent :

— Je ne voudrais pas que vous pensiez... Évidemment, j'ai violé une propriété privée. Mais je vous assure que je n'y ai pas été poussé par une vulgaire curiosité. Ma situation a dû vous paraître très bizarre, et prêter à malentendu. Je voudrais vraiment pouvoir expliquer et... euh... clarifier ma position...

J'attendis. Il me semblait que c'était la meilleure chose à faire. Ma curiosité, vulgaire ou non, était éveillée. Je voulais la satisfaire.

Après une minute de silence, Mr Osborne se décida :

— Je voudrais réellement vous expliquer, Mr... euh...

— Easterbrook. Mark Easterbrook.

— ... Mr Easterbrook. Comme je le disais, j'aimerais avoir la possibilité de justifier mon comportement étrange. Auriez-vous un instant? La grand-route est à cinq minutes de marche d'ici. Il y a un petit café très convenable à la station service, près de l'arrêt des cars. Le mien n'arrivera pas avant vingt minutes. Me permettrez-vous de vous offrir une tasse de café?

J'acceptai. Nous fîmes le chemin ensemble. Son angoisse apaisée, Mr Osborne se mit à disserter avec volubilité des agréments de Bournemouth, de l'excellence de son climat, de la qualité des concerts qu'on y pouvait entendre et du remarquable niveau social des privilégiés qui l'habitaient.

Nous atteignîmes la grand-route. La station service faisait l'angle, juste à côté de l'arrêt d'autocar. Il s'y trouvait un petit café, désert à part un jeune couple dans un coin de la salle. Mr Osborne commanda du café et des biscuits pour deux. Puis il se pencha vers moi et se soulagea de son fardeau :

— Tout cela est lié à une affaire dont on a récemment parlé dans les journaux. Elle n'a pas fait les gros titres — si telle est bien l'expression consacrée — parce qu'elle n'avait rien de sensationnel. Elle concernait un prêtre catholique romain du quartier de Londres où j'ai — où j'avais — mon commerce. Un soir, il a été agressé et tué. Triste aventure, comme il en arrive trop fréquemment de nos jours. C'était un brave homme, sans aucun doute, bien que je ne sois pas moi-même adepte de la doctrine romaine. Quoi qu'il en soit, je dois justifier l'intérêt particulier que je porte à cette affaire. La police a fait savoir qu'elle désirait avoir le témoignage de quiconque aurait vu le père Gorman ce soir-là. Par hasard, je me trouvais sur le pas de ma porte vers 8 heures et je l'ai vu passer, suivi à courte distance par un homme au physique assez étonnant pour qu'il attire mon attention. Sur le moment, bien entendu, je n'en ai tiré aucune conclusion, mais je suis observateur, Mr Easterbrook, et j'ai l'habitude d'enregistrer machinalement de quoi les gens ont l'air. C'est un dada, chez moi, et bien des clients ont été surpris quand je leur disais par exemple : « Ah ! oui, vous êtes déjà venu me commander une préparation en mars dernier, non ? » Ça fait toujours plaisir, vous savez, qu'on se souvienne de vous. J'ai remarqué que c'était bon pour les affaires. Quoi qu'il en soit, j'ai décrit à la police l'homme que j'avais vu. Ils m'ont remercié et les choses en sont restées là.

» J'en arrive maintenant à la partie la plus extraordinaire de mon histoire. Il y a dix jours environ, je suis allé à une fête paroissiale dans un petit village, à l'autre bout du chemin que nous venons de monter, et quelle ne fut pas ma surprise d'y voir l'homme dont j'avais parlé. Je me suis dit qu'il devait avoir eu un accident, car il se propulsait en fauteuil roulant. Je me renseignai sur lui et j'appris que c'était un riche habitant de la région du nom de Venables. Après quelques jours de réflexion, j'écrivis à l'officier de police devant qui j'avais déjà témoigné. L'inspecteur Lejeune — c'est son nom — est venu me voir à Bournemouth. Toutefois, il accueillit avec scepticisme l'idée que c'était l'homme que j'avais vu ce soir-là. Il m'informa qu'à la suite d'une polio, ce Mr Venables était infirme depuis des années. J'avais dû être abusé par les hasards d'une ressemblance.

Mr Osborne s'interrompit brusquement. Je remuai le pâle liquide qui se trouvait en face de moi et en avalai une prudente gorgée. Quant à Mr Osborne, il mit trois sucres dans sa tasse.

— Eh bien, la question paraît réglée, remarquai-je.

— Oui, oui..., répliqua-t-il, n'en croyant manifestement rien.

Il se pencha de nouveau vers moi, son crâne rond et chauve luisant sous la lampe, une lueur fanatique dans le regard :

— Je vous dois quelques explications supplémentaires. Quand j'étais gosse, Mr Easterbrook, un ami de mon père, pharmacien lui aussi, a été appelé à témoigner dans l'affaire Jean-Paul Marigot. Vous vous en souvenez peut-être... Celui-ci avait empoisonné sa femme, une Anglaise, avec de l'arsenic. L'ami de mon père l'identifia devant le tribunal comme étant celui qui avait signé d'un faux nom son registre des poisons. Marigot fut condamné et pendu. Cela me fit grand effet. J'avais 9 ans à l'époque, un âge impressionnable. Et j'ai entretenu l'espoir qu'un jour je figurerais moi aussi dans une *cause célèbre* et que j'amènerais un meurtrier devant la justice ! C'est peut-être à ce moment-là que j'ai commencé à m'exercer à mémoriser les visages. Il faut vous avouer, Mr Easterbrook, même si je dois vous paraître complètement ridicule, que depuis de nombreuses années j'ai vécu avec l'idée qu'un homme, décidé à se débarrasser de sa femme, entrerait un jour dans ma boutique pour acheter ce qui lui était nécessaire.

— Une seconde Madeline Smith, par exemple.

— Exactement. Hélas, reprit Mr Osborne en soupirant, cela ne m'est jamais arrivé. Ou alors, la personne en question n'a jamais été traînée en justice. Cela se produit, oserai-je le prétendre, plus souvent que nous aimerions le penser. Enfin, bref, cette identification, même si elle ne correspondait pas à ce que j'en attendais, me donnait au moins une *possibilité* de témoigner dans une affaire de meurtre !

Son visage s'illumina d'un plaisir enfantin.

— Quelle déception pour vous, remarquai-je, compatissant.

— Ou... i, répondit Mr Osborne, avec la même intonation insatisfaite. Je suis quelqu'un d'entêté, Mr Easterbrook. Au fil des jours, j'en suis de plus en plus venu à me convaincre que j'avais raison, que l'homme que j'avais vu était bien Venables et personne d'autre. Oh ! fit-il avec un geste, pour m'empêcher de parler, je sais : il y avait du brouillard, je n'étais pas tout près. Mais la police n'a pas pris en considération le fait que je m'étais exercé à reconnaître les gens. Il ne s'agissait d'ailleurs pas seulement des traits, du nez accusé, de la pomme d'Adam ; il y avait aussi le port de tête, l'angle du cou sur les épaules... Je me suis admonesté : « Allons, allons, admets que tu t'es trompé. » Mais j'ai continué à penser qu'il n'en était rien. La police prétendait que c'était impossible. Mais était-ce vraiment impossible ? Voilà ce que je me demandais.

— Il est cependant sûr qu'avec une telle infirmité...

Il m'interrompit en agitant le doigt :

— Oui, oui, mais mon expérience des Services de Santé... Réellement, vous seriez surpris par ce que les gens sont prêts à faire pour les escroquer, et par la façon dont ils s'en tirent. Je ne prétends pas que la profession médicale soit particulièrement crédule. Les médecins honnêtes auront tôt fait de démasquer un beau cas de simulation. Mais il existe des moyens... des moyens qu'un chimiste évaluera mieux qu'un médecin. Certaines drogues, par exemple, certaines préparations à l'apparence inoffensive. On peut se fabriquer de la fièvre, provoquer différentes sortes d'éruptions ou d'irritations cutanées, susciter la sécheresse de la gorge, accroître les sécrétions...

— Mais difficilement atrophier les membres, fis-je observer.

— Très juste, très juste. Mais qui a dit que les membres de Mr Venables étaient effectivement atrophiés ?

— Eh bien... son médecin, j'imagine.

— Juste. Cependant, j'ai essayé de me renseigner sur ce point. Le spécialiste de Mr Venables est à Londres, c'est un ponte de Harley Street. Il est vrai qu'il a été examiné ici, quand il est arrivé, par le praticien local. Mais celui-ci est maintenant à la retraite et il est parti vivre à l'étranger. Le médecin actuel ne s'est jamais occupé de Mr Venables. Celui-ci se rend une fois par mois à Harley Street.

Je le regardai avec curiosité :

— Voilà encore qui paraît ne pas laisser place à une faille quelconque pour... euh...

— Parce que vous ne savez pas tout ce que je sais, riposta Mr Osborne. En voici un modeste exemple : Mrs H. a touché de l'argent des assurances pendant plus d'un an. Elle le touchait dans trois endroits différents, à ceci près que dans le deuxième et le troisième, elle s'appelait Mrs T. ou Mrs C. Moyennant une petite compensation, Mrs T. et Mrs C. lui avaient prêté leur carte...

— Je ne vois pas...

— Supposez-je dis bien, supposez —, reprit-il en agitant son doigt de plus belle, que notre Mr V. soit entré en rapport avec une vraie victime de la polio sans ressources. Mettons qu'en gros, l'homme lui ressemble un peu, sans plus. Sous le nom de Mr V., l'authentique malade appelle un spécialiste qui l'examine et établit un dossier parfaitement correct. Puis Mr V. part s'installer à la campagne. Le généraliste du coin est sur le point de prendre sa retraite. De nouveau, la véritable victime l'appelle et se fait examiner. Et le tour est joué ! Mr Venables est désormais nanti d'un inattaquable dossier de poliomyélitique aux membres atrophiés. Et on le voit — quand on le voit ! — se déplacer en fauteuil roulant.

— Ses domestiques le sauraient, objectai-je. Son valet de chambre en particulier.

— Si nous supposons qu'il s'agit d'un gang, le valet de chambre peut très bien faire partie de la bande. Quoi de plus simple ? Et certains autres aussi, peut-être.

— Mais pourquoi ?

— Ah, ça ! C'est une autre question, n'est-ce pas ? Je me garderai bien de vous exposer ma théorie, vous ne feriez qu'en rire. Mais le tour est joué, vous dis-je, et c'est l'alibi parfait pour quelqu'un qui en a besoin. Il peut se trouver ici, là-bas, n'importe où, personne n'en saura rien. On l'a vu se promener dans Paddington ? Impossible ! C'est un infirme, un impotent qui vit à la campagne, etc. Mon car va arriver, déclara Mr Osborne après avoir jeté un coup d'œil à sa montre. Je dois me dépêcher. Je me suis mis à ruminer tout ça, vous comprenez. Je me suis demandé si je pouvais faire quelque chose pour le prouver, comme vous diriez. C'est alors que j'ai pensé à venir ici (j'ai du temps à revendre, maintenant, c'est tout juste si parfois je ne regrette pas ma pharmacie), à rôder autour de la maison et... ma foi, pour dire les choses crûment, à me livrer à un peu d'espionnage. Ce n'est pas joli-joli, vous me direz, et je suis d'accord avec vous. Mais s'il s'agit de découvrir la vérité, de coincer un criminel... Si par exemple je pouvais surprendre notre Mr Venables en train de baguenauder dans son jardin, eh bien, l'affaire serait dans le sac ! Et puis j'ai pensé aussi que s'ils ne fermaient pas les rideaux trop tôt (je ne sais pas si vous avez remarqué que les gens ne le font généralement pas à l'heure d'été indiquée par l'horloge, habitués qu'ils sont à ce que l'obscurité se fasse une heure plus tard), je pourrais grimper, jeter un coup d'œil par la fenêtre et, qui sait, le voir déambuler dans sa bibliothèque. Pourquoi se douterait-il qu'on l'espionne ? Personne, que je sache, ne le soupçonne.

— Pourquoi êtes-vous si sûr que l'homme que vous avez vu ce soir-là était Venables ?

— Je *sais* qu'il s'agissait de Venables.

Il se leva :

— Voilà le car. Enchanté d'avoir fait votre connaissance, Mr Easterbrook. Avoir pu vous expliquer ce que je faisais à Priors Court m'a soulagé d'un grand poids. Mais tout cela ne doit avoir pour vous ni queue ni tête.

— Pas du tout, répliquai-je. Mais vous ne m'avez toujours pas dit de quels méfaits vous soupçonniez Mr Venables.

Mr Osborne parut un peu embarrassé :

— Vous allez rire. Tout le monde prétend qu'il est riche, mais personne n'a l'air de savoir d'où lui vient tout cet argent. Je vais vous dire ce que j'en pense. Je pense que c'est un de ces grands criminels dont les journaux publient les exploits. Vous savez, ces malfaiteurs qui élaborent un coup fumant et qui disposent d'un gang pour l'exécuter. Cela peut vous paraître complètement stupide, mais je...

Le car s'était arrêté. Mr Osborne courut s'y engouffrer.

Songeur, je repris le chemin de la maison. La théorie de Mr Osborne avait beau paraître délirante, il fallait reconnaître qu'il tenait peut-être là un début de piste...

20

Récit de Mark Easterbrook

Quand j'appelai Ginger le jour suivant, je lui annonçai que je partais pour Bournemouth le lendemain.

— J'ai trouvé un charmant petit hôtel qui s'appelle — Dieu sait pourquoi — le *Parc aux Cerfs*. Il offre l'avantage de disposer de deux portes de sortie discrètes. Je pourrai m'échapper en cachette et venir vous voir.

— Vous feriez mieux de vous abstenir, j'imagine. Mais j'avoue que ce serait paradisiaque. Si vous saviez à quel point je m'ennuie! C'est à ne pas croire! Si vous ne pouvez pas venir jusqu'ici, c'est moi qui m'échapperai pour venir vous retrouver quelque part.

Quelque chose me frappa soudain :

— Ginger! Votre voix... Elle a changé.

— Oh ça! Ce n'est rien. Ne vous inquiétez pas.

— Mais cette *voix*?

— J'ai juste un peu mal à la gorge, c'est tout.

— Ginger!

— Écoutez, Mark, tout le monde peut avoir mal

à la gorge. Je dois couver un rhume. Ou une petite grippe.

— Une grippe? Je vous en conjure, ne noyez pas le poisson : vous vous sentez bien, oui ou non?

— N'en faites pas une histoire. Je me sens très bien.

— Dites-moi exactement ce que vous ressentez. Vous avez l'impression que vous pourriez commencer une grippe?

— Eh bien, peut-être... Des courbatures un peu partout, vous voyez le genre...

— De la fièvre?

— Peut-être un petit peu...

Une abominable sensation de froid me saisit. J'étais épouvanté. Et je savais aussi que Ginger, même si elle refusait de l'admettre, l'était tout autant que moi.

J'entendis de nouveau sa voix rauque :

— Pas de panique, Mark. Vous paniquez alors que rien ne justifie que vous le fassiez.

— Peut-être. Mais nous devons prendre toutes nos précautions. Demandez à votre médecin de venir vous voir. Tout de suite.

— Très bien. Mais il va me prendre pour la dernière des enquiquineuses.

— Peu importe. *Faites-le.* Et quand il sera passé vous voir, rappelez-moi.

Après avoir raccroché, je restai un long moment hébété, l'œil rivé sur la silhouette noire et inhumaine du téléphone. La panique... ne pas céder à la panique. Il y avait toujours des épidémies de grippe à cette époque de l'année. Le médecin nous rassurerait... Ce n'était sans doute qu'un léger refroidissement...

Je revoyais Sybil dans sa longue tunique bariolée et rebrodée d'or à l'effigie du démon. J'entendais encore la voix de Thyrza, autoritaire, inexorable. Et, sur le sol recouvert de pentagrammes tracés à la craie, Bella qui psalmodiait ses incantations magiques tandis qu'un coq blanc agonisait dans ses mains...

Absurde, tout cela était absurde... Bien sûr, il ne pouvait s'agir que d'absurdes superstitions...

Le dispositif électrique, cependant... il était difficile de l'écarter. Cet appareillage n'était pas le fruit de la superstition humaine mais d'un probable progrès scientifique. Pourtant c'était impossible... il était impossible que...

Mrs Dane Calthrop me trouva là, immobile, les yeux rivés sur le téléphone.

— Qu'est-ce qui vous arrive ? me demanda-t-elle aussitôt.

— Ginger ne se sent pas bien.

J'espérais qu'elle me rassurerait. Qu'elle m'expliquerait que tout cela était stupide. Mais elle ne me rassura pas.

— Je n'aime pas ça, maugréa-t-elle. Non, je n'aime pas ça du tout.

— Mais ce n'est pas possible ! me révoltai-je. Ce n'est pas possible que ces femmes puissent faire ce qu'elles prétendent !

— Non ?

— Vous ne croyez quand même pas que... Vous ne pouvez tout de même pas croire que...

— Mon cher Mark, répliqua Mrs Dane Calthrop, le simple fait que Ginger et vous vous soyez lancés dans cette expérience prouvait déjà que vous aviez tous deux implicitement admis cette éventualité.

— Mais le fait qu'on y croie maintenant ne fait qu'aggraver l'affaire ! Ça la rend encore plus vraisemblable !

— Vous n'allez pas jusqu'à y *croire*, vous avez juste reconnu que, si vous en aviez la preuve, vous pourriez y croire.

— La preuve ? Quelle preuve ?

— Le fait que Ginger soit tombée malade est une preuve, répondit Mrs Dane Calthrop.

Je la détestais. Dans ma colère, j'élevai la voix :

— Pourquoi être si pessimiste ? C'est un simple refroidissement, une broutille de ce genre. Pourquoi vous obstinez-vous à imaginer le pire ?

— Parce qu'en présence du pire, il faut savoir faire face, et ne pas se cacher la tête dans le sable jusqu'à ce qu'il soit trop tard.

— Vous êtes prête à admettre que leurs ridicules mômeries peuvent fonctionner? Ces transes, ces incantations magiques, ces coqs sacrifiés, tout ce fourbi?

— En tout cas, quelque chose fonctionne, répliqua Mrs Dane Calthrop. C'est à cela que nous devons nous mesurer. Cet étalage de charlatanisme n'est pour beaucoup, pour presque tout, qu'un attrape-nigaud. Ça n'est là que pour créer l'atmosphère — c'est très important, l'atmosphère. Mais au milieu de tout ce fatras, il doit y avoir le véritable moteur, le truc qui *fonctionne*.

— Quelque chose comme de la radioactivité à distance?

— Quelque chose de ce genre. Les savants font sans cesse de nouvelles découvertes... des découvertes terrifiantes. Une personne peu scrupuleuse peut avoir adapté une de ces nouvelles connaissances à ses propres besoins. Le père de Thyrza était physicien, vous savez...

— Mais quoi? Quoi? Ce satané appareillage électrique? Si seulement on pouvait le faire examiner! Si la police...

— La police déteste perquisitionner et se saisir de la propriété d'autrui sans raisons plus solides que celles que nous avons à lui offrir.

— Si j'allais y faire un tour pour démolir ce maudit engin?

Mrs Dane Calthrop secoua la tête:

— D'après ce que vous m'avez raconté, le dommage — si dommage il y a — a été causé ce fameux soir.

Je me pris la tête dans les mains en gémissant:

— Si seulement nous ne nous étions pas engagés dans cette maudite affaire!

— Vous aviez d'excellentes raisons d'y plonger tête baissée, répliqua fermement Mrs Dane

Calthrop. Et puis ce qui est fait est fait. Vous en saurez plus quand Ginger vous rappellera après la visite du médecin. Elle téléphonera chez Rhoda, je suppose.

Je saisis l'allusion :

— Je ferais mieux de rentrer.

— Quelle idiote je suis! s'exclama soudain Mrs Dane Calthrop, comme je sortais. Une idiote comme on en fait peu! Des *attrape-nigauds!* Nous nous laissons impressionner par ces attrape-nigauds. Je ne peux pas m'empêcher de penser que nous voyons les choses telles qu'elles veulent que nous les voyions...

Elle avait peut-être raison, mais comment les voir autrement ?

Ginger m'appela deux heures plus tard :

— Il est venu. Il a eu l'air un peu égaré, mais il m'a dit que c'était probablement la grippe. Il y en a beaucoup, en ce moment. Il m'a mise au lit et va me faire porter quelques médicaments. J'ai une forte fièvre. Mais c'est normal avec la grippe, non ?

Sous son apparente bravoure, j'entendais l'appel désespéré de sa voix rauque.

— Ça va aller, lui répondis-je de façon pitoyable. Vous m'entendez? Ça va aller. Vous vous sentez très mal en point ?

— Eh bien... j'ai de la fièvre... et des courbatures, et puis tout me fait mal, mes pieds, ma peau. Je ne peux supporter aucun contact... et j'ai horriblement chaud.

— C'est la fièvre, ma chérie. Écoutez, j'arrive. Je pars immédiatement... tout de suite. Non, ne protestez pas.

— Très bien. Je suis contente que vous veniez, Mark. Je dois vous avouer que... que je ne suis pas aussi courageuse que je le pensais.

★

J'appelai Lejeune.

— Miss Corrigan est malade, lui dis-je.

— Quoi ?

— Vous m'avez bien entendu. Elle est malade. Elle a appelé son médecin habituel. Il a déclaré que c'était peut-être la grippe. Mais peut-être pas. Je ne vois pas ce que vous pourriez personnellement faire. La seule idée qui me vienne à l'esprit, c'est de faire appel à votre Corrigan à vous pour qu'il m'aide à dénicher un spécialiste.

— Un spécialiste de quoi ?

— Un psychiatre, ou un psychanalyste, ou un psychologue. Un psy quelque chose, quoi ! Un type qui s'y connaisse en suggestion, hypnotisme, lavage de cerveau, tous ces trucs-là. Vous devez bien avoir des gens qui s'occupent de ça, non ?

— Bien sûr que nous en avons. Oui. Nous en avons un ou deux. Des gars du ministère de l'Intérieur qui sont spécialisés dans ces domaines. Vous avez bougrement raison. C'est peut-être la grippe, mais c'est peut-être une affaire psychologique dont on ne sait pas grand-chose. Mon Dieu, Easterbrook, c'est peut-être exactement ce que nous cherchions !

Je raccrochai brutalement. Nous allions peut-être progresser dans la connaissance des armes psychologiques ; seulement moi, la seule chose qui m'importait c'était Ginger, si courageuse et pourtant si effrayée. Ni l'un ni l'autre nous n'y avions vraiment cru... Ou bien alors... ? Non, bien sûr que non. Nous avions fait joujou au gendarme et au voleur. Seulement voilà : Il ne s'agissait pas d'un jeu...

Le *Cheval pâle* était une réalité.

La tête dans les mains, je m'effondrai en gémissant.

21

Récit de Mark Easterbrook

Je crois que je n'oublierai jamais les quatre jours qui suivirent. Ils m'apparaissent maintenant comme une espèce de kaléidoscope sans forme ni logique. On transporta Ginger dans une clinique privée. Je n'avais le droit de la voir qu'aux heures de visite.

Toute cette affaire avait tendance à faire monter son généraliste habituel sur ses grands chevaux. Il ne comprenait pas pourquoi on faisait tant d'histoires. Son diagnostic était parfaitement clair : une broncho-pneumonie, consécutive à une grippe, compliquée de légers symptômes inhabituels, « mais ça arrive tout le temps. La plupart des cas sont atypiques. Et il y a des tas de gens qui ne réagissent pas aux antibiotiques. »

Bien sûr, tout ce qu'il disait était vrai. Ginger avait bien une broncho-pneumonie. La maladie dont elle souffrait n'avait rien de mystérieux. Ce qui était inquiétant, c'était le simple fait qu'elle l'ait attrapée... et que les symptômes en soient aussi violents.

J'eus un entretien avec le psychologue du ministère de l'Intérieur. C'était un petit bonhomme bizarre, aux allures d'oiseau, qui passait son temps à se dresser sur la pointe des pieds pour se laisser retomber sur les talons l'instant d'après et dont les yeux clignotaient derrière des verres épais comme des culs de bouteille.

Il me posa des questions innombrables dont, pour une bonne moitié, le but m'échappait mais qui devaient en avoir un, car il hochait la tête d'un air avisé à chacune de mes réponses. Il refusa catégoriquement de se compromettre, en quoi il faisait sans doute preuve de sagesse. À l'occasion, il émit quelques remarques dans un jargon que je supposai être celui de son métier. Il essaya, je crois, différentes formes d'hypnotisme sur Ginger mais, apparemment par consentement mutuel, personne ne crut bon de m'en dire beaucoup plus. Peut-être parce qu'il n'y avait rien à en dire.

Je fuyais mes amis et connaissances, et pourtant la solitude m'était insupportable.

Finalement, dans un accès de désespoir, je téléphonai à Poppy dans sa boutique de fleurs. Accepterait-elle de dîner avec moi? Réponse : elle en serait ravie.

Je l'emmenai au *Fantaisie*. Son joyeux babillage m'apaisa. Mais je ne l'avais pas invitée uniquement pour ses qualités curatives. Après l'avoir plongée, à force de nourriture et de boisson, dans un bienheureux engourdissement, je la mis prudemment à l'épreuve. Il ne me paraissait pas impossible que, sans en être le moins du monde consciente, elle soit au courant d'une partie de l'affaire. Je lui demandai si elle se rappelait mon amie Ginger.

— Bien sûr, me répondit Poppy en écarquillant ses grands yeux bleus et avant de me demander ce qu'elle devenait.

— Elle est très malade.

— Pauvre choutte!

Poppy avait l'air aussi affectée qu'il lui était possible de l'être, autrement dit pas très.

— Elle s'est fourrée dans je ne sais quelle guêpier, continuai-je. Je crois qu'elle vous avait demandé votre avis à ce propos. Le truc du *Cheval pâle*. Ça lui a coûté une fortune.

— Oh! s'exclama Poppy, en écarquillant plus grand encore les yeux. Alors, il s'agissait de *vous*!

Je mis un instant à comprendre. Puis la lumière se fit : Poppy avait reconnu en moi l'« homme » dont l'épouse invalide faisait obstacle au bonheur de Ginger. Elle était si passionnée par cette révélation de notre vie amoureuse qu'elle en avait oublié de s'inquiéter quand j'avais mentionné le *Cheval pâle*.

— Est-ce que ça a marché ? demanda-t-elle, haletante.

— Un peu de travers. C'est le chien qui est mort, ajoutai-je.

— Quel chien ?

Elle offrait l'image de la perplexité incarnée. Je compris qu'avec Poppy, mieux valait ne pas faire étalage de son érudition :

— La... euh... le processus semble s'être retourné contre Ginger. Vous avez déjà entendu parler d'un cas semblable ?

Poppy n'en avait jamais entendu parler.

— Pourtant, ce truc qu'ils font au *Cheval pâle*, à Much Deeping... vous savez de quoi il s'agit, n'est-ce pas ?

— Je ne savais pas où c'était au juste. Quelque part dans la campagne, c'est tout.

— Je n'ai pas pu obtenir de Ginger qu'elle me confie ce qu'ils manigancent... ce qu'ils « envoient »...

J'attendis prudemment.

— Des rayons, non ? répliqua évasivement Poppy. Des machins dans ce goût-là. Venus de l'espace, ajouta-t-elle, obligeante. Comme les Russes !

Je compris que Poppy prenait appui maintenant sur une imagination qui n'était pas son point fort.

— Des machins dans ce goût-là, en effet. Mais ce que je veux dire, c'est que ça peut être dangereux pour Ginger de tomber malade comme ça.

— Mais c'est votre femme invalide qui devait tomber malade et mourir, non ?

— Si, répondis-je, endossant le rôle que Ginger et Poppy m'avaient attribué. Mais il semble que ça ait marché de travers... que Ginger ait reçu le choc en retour.

— Vous voulez dire... comme...

Poppy effectuait visiblement un gigantesque effort mental :

— ... Comme quand vous ne branchez pas bien

votre fer électrique et que vous recevez une décharge ?

— Tout juste, répondis-je. Rigoureusement le même topo. Vous avez déjà entendu parler d'un cas semblable ?

— Eh bien, pas de cette façon-là, non, mais...

— De quelle façon, alors ?

— Eh bien, quand quelqu'un ne paye pas... une fois le travail effectué. J'en ai connu un qui n'avait rien voulu savoir...

Sa voix mourut dans un murmure à peine audible :

— Il a été tué dans le métro... Il est tombé du quai juste devant la rame qui arrivait.

— Il pourrait s'agir d'un accident.

— Oh, non ! s'écria Polly, choquée par cette idée. C'était EUX !

Je versai encore un peu de champagne dans le verre de Poppy. J'avais là, en face de moi, quelqu'un qui pourrait m'être d'un grand secours pour peu que je parvienne à lui soutirer les bribes d'informations qui se battaient en duel dans ce qui lui tenait lieu de cerveau. Elle avait surpris des confidences, en avait assimilé et mémorisé en vrac environ la moitié. Personne ne tenait sa langue en sa présence parce qu'il s'agissait « seulement de Poppy ».

Ce qui me rendait malade, c'est que je ne savais pas quoi lui demander. Or, à la moindre erreur de ma part, elle prendrait peur et se refermerait comme une huître.

— Ma femme est toujours invalide, mais son état n'a pas l'air d'avoir empiré.

— C'est moche, compatit Poppy en sirotant son champagne.

— Qu'est-ce que je dois faire maintenant ?

Poppy l'ignorait.

— Vous comprenez, insistai-je, c'est Ginger qui... Personnellement, je ne me suis occupé de rien. Y a-t-il quelqu'un avec qui je pourrais entrer en contact ?

— Il y a un endroit, à Birmingham..., murmura Poppy, sans conviction.

— Il est fermé, lui affirmai-je. Vous ne connaissez personne d'autre qui pourrait savoir quelque chose ?

— Eileen Brandon peut-être... encore que ça m'étonnerait.

La mention de cette Eileen Brandon totalement inconnue me fit sursauter. Qui était Eileen Brandon ?

— Elle est épouvantable, me renseigna doctement Poppy. Longue comme un jour sans pain. Elle se coiffe avec les cheveux tirés et ne porte *jamais* de talons aiguille. C'est une vraie plaie. J'ai été à l'école avec elle, ajouta-t-elle en guise d'explication, mais elle était déjà parfaitement inodore et sans saveur. Elle trouvait même le moyen d'être forte en géographie.

— Qu'a-t-elle à voir avec le *Cheval pâle* ?

— Rien, en fait. C'est seulement une idée qu'elle a eue. Et alors elle a laissé tomber.

— Laissé tomber quoi ? demandai-je, égaré.

— Son job au CRC.

— Qu'est-ce que c'est que le CRC ?

— Alors, là, je ne sais pas trop. Ils disent juste CRC. Un truc qui concerne les Réactions des Clients, une espèce d'institut de sondage. C'est une toute petite entreprise.

— Et Eileen Brandon travaillait pour eux ? Quel était son rôle ?

— Oh ! se balader et poser des questions — sur la pâte dentifrice, la cuisinière à gaz ou le genre d'éponges que vous utilisez. Déprimant et ennuyeux au possible. C'est à se demander qui ça peut bien intéresser.

— Sans doute le CRC...

J'en avais des picotements d'excitation.

C'était l'employée d'une société du même genre que le père Gorman était allé voir ce fameux soir. Et... mais oui, bien sûr, c'était aussi quelqu'un du même acabit qui avait rendu visite à Ginger, à l'appartement.

Il y avait là un lien probable.

— Pourquoi a-t-elle plaqué son job? Parce qu'elle s'ennuyait?

— Je ne crois pas. Ils la payaient le prix fort. Mais elle s'était mis dans la tête que... que ça n'était pas ce que ça paraissait être.

— Elle pensait que la société pouvait être en rapport avec le *Cheval pâle*? C'est bien ça?

— Ma foi, je n'en sais rien. Quelque chose comme ça. Quoi qu'il en soit, elle travaille maintenant dans un café italien du côté de Tottenham Court Road.

— Donnez-moi son adresse.

— Ce n'est pas le moins du monde votre type.

— Je n'ai pas l'intention de lui proposer une partie de jambes en l'air, répliquai-je crûment. Je me contenterai de renseignements sur les Réactions des Clients. Je songe à acheter des actions d'une société de ce genre.

— Ah! je vois, dit Poppy, satisfaite de l'explication.

Comme il n'y avait rien de plus à tirer d'elle, nous finîmes le champagne et je la raccompagnai jusqu'à sa porte en la remerciant pour cette charmante soirée.

★

Le lendemain matin, j'essayai d'appeler Lejeune, sans succès. Cependant, après bien des difficultés, je parvins à joindre Jim Corrigan:

— Et alors? Cette espèce de minus de psychologue que tu m'as envoyé, Jim? Qu'est-ce qu'il t'a dit à propos de Ginger?

— Il m'a sorti un tas de mots compliqués. Mais je crois qu'il est sincèrement déconcerté. Après tout, il y a des gens qui attrapent des pneumonies. Rien de mystérieux ni d'extraordinaire à ça.

— Oui, ripostai-je. Plusieurs personnes que

nous connaissons, et dont les noms figurent sur une certaine liste, sont mortes de broncho-pneumonie, de gastro-entérite, d'hémiplégie, de tumeur au cerveau, d'épilepsie, de paratyphoïde et autres maladies bien connues.

— Je comprends ce que tu ressens. Mais que pouvons-nous faire?

— Elle va plus mal, n'est-ce pas? demandai-je.

— Eh bien... oui...

— Il *faut* faire quelque chose.

— Par exemple?

— J'ai une ou deux idées. Aller à Much Deeping, coincer Thyrza Grey et la forcer, en lui flanquant une peur bleue, à inverser son sortilège, ou Dieu sait ce dont il s'agit.

— Ma foi... ça pourrait marcher.

— Ou alors, je pourrais aller trouver Venables...

— Venables? s'écria Corrigan. Mais il n'est pas dans le coup. Comment pourrait-il être lié à tout ça? C'est un infirme.

— Je me le demande. Je pourrais y aller, lui arracher sa couverture et vérifier si ses membres sont vraiment atrophiés!

— Nous avons déjà envisagé tout ça...

— Attends. J'ai rencontré Osborne, le petit pharmacien, là-bas, à Much Deeping. Je vais te répéter ce qu'il m'a dit.

Je lui résumai la théorie d'usurpation d'identité d'Osborne.

— Ce type a une araignée au plafond, riposta Corrigan. C'est le genre d'individu qui veut toujours avoir raison.

— Mais dis-moi, Corrigan, est-ce que cela ne pourrait pas être vrai? C'est possible, non?

Au bout d'un moment, Corrigan répondit lentement:

— Oui, je dois reconnaître que c'est possible... Mais il faudrait plusieurs complices, grassement payés pour tenir leur langue.

— Et alors? Il roule sur l'or, non? Lejeune a-t-il découvert comment il a fait tout cet argent?

— Non. Pas exactement... Je dois te l'avouer, il y a quelque chose qui cloche chez ce type. Son passé n'est pas net. Sa fortune a mille et une justifications astucieuses, mais il faudrait des années pour les vérifier. La police a déjà eu à le faire alors qu'elle poursuivait un escroc qui avait couvert ses traces d'un réseau d'une infinie complexité. Quant à Venables, je crois que le fisc l'a tenu à l'œil pendant un certain temps. Mais il est malin. Qu'est-ce que tu imagines ? Qu'il est à la tête de l'entreprise ?

— Oui. Je pense que c'est lui qui a tout mis sur pied.

— Peut-être. Je reconnais qu'il a le genre de cerveau construit pour ça. Mais il n'aurait certainement pas fait quelque chose d'aussi trivial que de tuer le père Gorman de ses propres mains !

— Il aurait pu, en cas d'urgence absolue. Il fallait peut-être réduire le père Gorman au silence avant qu'il n'ait transmis à quelqu'un ce qu'il avait appris par cette femme des activités du *Cheval pâle*. De plus...

Je m'arrêtai net.

— Allô ? Tu es encore là ?

— Oui. Je pensais... Juste une idée qui m'est venue...

— Laquelle ?

— Elle n'est pas encore très claire... Si ce n'est qu'il n'y a qu'une seule manière de s'assurer une véritable sécurité. Je ne suis pas encore allé jusqu'au bout. De toute façon, il faut que je file. J'ai un rendez-vous dans un café.

— Je ne savais pas que tu faisais partie de la haute société des cafés de Chelsea.

— Je n'en fais pas partie. Mon café se trouve à Tottenham Court Road.

Je raccrochai et regardai l'heure.

Je marchais vers la porte quand le téléphone sonna.

J'hésitai. 10 heures moins une... C'était Jim Corrigan qui rappelait, sans doute, pour en savoir plus sur mon idée.

Je ne voulais justement pas parler à Jim Corrigan maintenant.

Je continuai à marcher vers la porte tandis que la sonnerie du téléphone persistait, harcelante.

Évidemment, ça pouvait être l'hôpital... Ginger...

Je ne pouvais pas prendre ce risque. Agacé, je revins sur mes pas et m'emparai brutalement du combiné :

— Allô ?

— C'est vous, Mark ?

— Oui. Qui est à l'appareil ?

— C'est moi, bien sûr, répondit la voix d'un ton de reproche. Écoutez, il faut que je vous dise quelque chose.

— Ah ! c'est vous, soupirai-je, car j'avais reconnu la voix de Mrs Oliver. Excusez-moi, mais je suis horriblement pressé, je dois sortir. Je vous rappellerai plus tard.

— Pas question, répliqua fermement Mrs Oliver. Il faut que vous m'écoutiez à l'instant même. C'est important.

— Alors, faites vite. J'ai un rendez-vous.

— Peuh ! riposta Mrs Oliver. On peut toujours arriver en retard à un rendez-vous. Tout le monde le fait. Ils n'en auront que plus de respect pour vous.

— Non, je vous assure, il faut que je...

— Encore une fois, pas question, Mark. C'est important. J'en mettrais ma main au feu. Ça ne peut pas ne pas l'être !

Je réprimai mon impatience comme je pus et jetai un coup d'œil sur la pendule :

— Eh bien ?

— Ma Milly a une amygdalite. Comme elle ne se sentait pas bien du tout, elle est partie pour la campagne... chez sa sœur...

Je serrai les dents :

— J'en suis absolument navré, mais vraiment...

— Vous êtes impossible, vous ne m'avez pas encore laissé placer un mot ! Où en étais-je ? Ah !

224

oui. Milly ayant dû partir pour la campagne, j'ai téléphoné à mon bureau de placement habituel... le Regency... j'ai toujours trouvé que c'était un nom idiot, on jurerait qu'il s'agit d'un cinéma...

— Je dois vraiment...

— ... Et je leur ai demandé qui ils pouvaient m'envoyer. Ils m'ont répondu que c'était très difficile en ce moment — ce qu'ils racontent toujours, d'ailleurs — mais qu'ils feraient leur possible...

Je n'avais jamais trouvé mon amie Ariadne Oliver aussi exaspérante.

— Et alors, ce matin, une femme est arrivée, et qui croyez-vous que c'était ?

— Je n'en ai aucune idée. Écoutez...

— Une dénommée Edith Binns — drôle de nom, hein ? — et qu'en fait vous connaissez.

— Non, je ne la connais pas. Je n'ai jamais entendu parler d'une Edith Binns.

— Mais si vous la connaissez ! Et vous l'avez même vue il n'y a pas longtemps. Elle est restée au service de votre marraine pendant des années... au service de lady Hesketh-Dubois.

— Oh ! celle-là !

— Mais puisque je vous le dis ! Et elle vous a vu le jour où vous êtes passé chercher quelques tableaux.

— Eh bien, tout ceci est parfait et je pense que vous avez de la chance de l'avoir trouvée. On peut sûrement compter sur elle, lui faire confiance et tout ce que vous voudrez. C'est ce qu'affirmait ma tante Min. Mais vraiment, maintenant...

— Une seconde, voulez-vous ? Je n'en suis pas encore arrivée au fait. Elle s'est aussitôt mise à me raconter un tas de choses sur lady Hesketh-Dubois, sur sa dernière maladie — vous savez à quel point ces gens-là se délectent des histoires de maladies et de mort — et c'est alors qu'elle me l'a dit.

— Qu'elle vous a dit quoi ?

— La chose qui a attiré mon attention. Quelque chose du genre : « Pauvre chère dame, souffrir comme elle a souffert! Cet horrible machin dans son cerveau — une tumeur comme ils appellent ça —, elle qui était en si bonne santé juste avant. Et la pitié que c'était de la voir à la clinique, et puis de retrouver tous ses cheveux — de beaux cheveux blancs et soyeux, des cheveux qu'elle bleuissait régulièrement tous les quinze jours —, de les retrouver tous, sur son oreiller. Tous, ma bonne dame! Par poignées, qu'ils tombaient! » Alors, Mark, j'ai pensé à Mary Delafontaine, cette amie à moi. *Ses cheveux tombaient aussi.* Et je me suis rappelée ce que vous m'aviez raconté à propos d'une fille qui s'était battue avec une autre dans un café de Chelsea en lui arrachant les cheveux par poignées. Les cheveux, ça ne s'arrache pas si facilement que ça, Mark. Essayez vous-même, essayez d'en extirper quelques-uns de votre cuir chevelu! Essayez et vous m'en direz des nouvelles. Ce n'est pas normal, Mark, que les cheveux de tous ces gens-là partent avec la racine. Non, ce n'est pas normal. Il doit s'agir d'une nouvelle maladie... cela doit vouloir dire quelque chose.

J'agrippai le combiné, la tête me tournait. Les détails, les fragments d'informations à demi oubliées se mettaient en place. Rhoda et ses chiens sur la pelouse... un article que j'avais lu dans un journal médical à New York... Bien sûr... Mais bien sûr!

Je me rendis soudain compte que Mrs Olivers continuait à caqueter joyeusement.

— Soyez bénie! m'écriai-je. Vous êtes sensationnelle!

Je raccrochai bruyamment pour redécrocher aussitôt. Je composai un numéro et eus la chance, cette fois, d'obtenir Lejeune directement.

— Dites-moi, demandai-je, est-ce que les cheveux de Ginger tombent par poignées?

— Eh bien, en réalité, je crois que oui. Conséquence d'une forte fièvre, je suppose.

— Fièvre, mon œil. Ginger est victime — et ils

226

en ont tous été victimes — d'un empoisonnement au thallium. Dieu fasse que nous arrivions à temps...

22

Récit de Mark Easterbrook

— Ce n'est pas trop tard? Elle va s'en tirer?

Je marchais de long en large. Je ne pouvais pas rester assis.

Lejeune m'observait. Il faisait preuve de beaucoup de patience et de gentillesse :

— Soyez sûr qu'on fera le maximum.

Toujours la même sempiternelle réponse. Ce qui n'était pas fait pour me réconforter.

— Est-ce que vous savez comment traiter un empoisonnement au thallium?

— Cela n'arrive pas souvent. Mais on emploiera tous les moyens. Si vous voulez mon avis, je pense qu'elle s'en sortira.

Je le regardai. Comment savoir s'il croyait vraiment ce qu'il disait? S'il n'essayait pas seulement de me calmer?

— En tout cas, ils ont vérifié qu'il s'agissait bien de thallium?

— Oui, ils ont vérifié ça.

— Et voilà la vérité toute simple qui se cachait derrière le *Cheval pâle*. Pas de sorcellerie, pas d'hypnotisme, pas de scientifique rayon de la mort. Du pur et simple poison! Et elle m'avait craché le morceau, bon sang de bonsoir! Elle me l'avait jeté à la figure! Ah, elle a dû bien rire pendant tout ce temps!

— De qui parlez-vous?

— De Thyrza Grey. De la première fois, quand je suis allé prendre le thé chez elle. Elle m'a parlé des

Borgia et de ce bobard de « poisons rares et indétectables », de gants empoisonnés et tout le tremblement. « Il s'agissait de vulgaire arsenic blanc, sans plus », m'avait-elle affirmé. Ce n'était pas plus compliqué que ça. Tout ce fatras ! Les transes, le coq blanc, le brasero, les pentagrammes, le vaudou et le crucifix la tête en bas, tout ça, c'est destiné à la cohorte des superstitieux. Et le fameux « appareil », c'est encore de la poudre aux yeux, pour les esprits modernes cette fois. De nos jours, nous ne croyons plus aux esprits, aux sorcières et aux sortilèges, mais nous avalons n'importe quoi dès qu'on parle « rayons », « ondes » ou phénomènes psychologiques. Je suis prêt à parier que l'appareil en question n'est rien d'autre qu'un écheveau de fils électriques, un assemblage d'interrupteurs, d'ampoules de couleur et de valves bourdonnantes. Comme nous vivons dans la peur quotidienne de recevoir des déchets nucléaires sur la tête, dans la peur du strontium 90 et de tout ce qui s'ensuit, nous sommes très sensibles au discours scientifique. Toutes ces absurdités, au *Cheval pâle*, n'étaient que mise en scène ! Le *Cheval pâle* n'est qu'une devanture, ni plus ni moins. On attire l'attention de ce côté pour qu'on ne se doute pas de ce qui se passe de l'autre. La beauté de la chose, c'est que cela les met à l'abri de tout. Thyrza Grey peut se vanter à cor et à cri de posséder des pouvoirs occultes, on ne pourra jamais, de ce chef, la traîner pour meurtre devant un tribunal. Son « appareil », pour peu qu'on l'examine, sera reconnu inoffensif. N'importe quel jury statuera que l'affaire ne tient pas debout, qu'elle n'est qu'un tissu d'absurdités. Ce qui, bien entendu, est exactement le cas.

— À votre avis, elles trempent là-dedans toutes les trois ?

— Je ne pense pas. Bella croit vraiment en la sorcellerie. Elle a confiance dans ses propres pouvoirs et en tire de grandes joies. De même pour

Sybil. Elle a un authentique don de médium. Elle entre en transes et ne sait plus ce qui se passe. Elle gobe tout ce que lui raconte Thyrza.

— Ainsi, ce serait Thyrza l'esprit directeur?

— En ce qui concerne le *Cheval pâle*, certainement, répondis-je lentement. Mais ce n'est pas elle le vrai cerveau de l'entreprise. Celui-ci travaille en coulisse. Il conçoit, il organise. Tout est merveilleusement bien agencé, vous savez. Chacun a sa tâche assignée, et personne ne sait rien des autres. Bradley s'occupe de l'aspect financier et légal de l'entreprise. Sorti de là, il ignore totalement ce qui se passe ailleurs. Il est grassement payé, évidemment, et Thyrza Grey aussi.

— On dirait que vous avez réussi à tout ficeler à votre convenance, remarqua Lejeune, un brin ironique.

— Non, pas encore. Mais je tiens les données essentielles. Celles qui se sont perpétuées à travers les âges. Simples et grossières. Le poison, tout simplement. Cette chère, vieille, potion fatale.

— Qu'est-ce qui vous a fait penser au thallium?

— Plusieurs pièces du puzzle qui se sont soudain mises en place. L'affaire a commencé le soir où j'étais à Chelsea et où j'ai vu une fille arracher à une autre ses cheveux par poignées. Cette dernière avait décrété: « Je n'ai rien senti du tout. » Or, ce n'était pas par bravoure, comme je me l'étais imaginé, c'était un fait. Ça ne lui avait pas fait mal.

» Quand j'étais aux États-Unis, j'avais lu un article sur l'empoisonnement par le thallium. Les ouvriers d'une usine mouraient les uns après les autres. Leur mort était attribuée à un nombre stupéfiant de causes diverses dont, si mes souvenirs sont bons, paratyphoïde, crise d'apoplexie, névrite alcoolique, hémiplégie, épilepsie, gastro-entérite, etc. Puis une femme a empoisonné sept personnes. Les diagnostics comprenaient tumeur au cerveau, encéphalite, pneumonie lobaire... Les symptômes étaient apparemment très variés. Cela pouvait

commencer par de la diarrhée et des vomisse-
ments, ou par un état d'intoxication, ou par des
douleurs dans les membres et être pris pour de la
polynévrite, une fièvre rhumastimale ou la polio...
On avait même mis un des malades dans un poumon
d'acier. Quelquefois, la peau se pigmente...

— Vous parlez comme un dictionnaire de médecine !

— Évidemment : j'en ai consulté un. Mais toutes
ces maladies ont un symptôme commun, qui apparaît tôt ou tard : *la chute des cheveux*. Il fut un
temps où on utilisait le thallium comme dépilatoire, en particulier chez les enfants atteints de la
teigne. On le donnait même parfois en traitement
interne, mais à des dosages très faibles et suivant le
poids du malade. Puis on a découvert que c'était
dangereux. De nos jours, on ne s'en sert plus guère
que contre les rats, je crois. Ça n'a pas de goût,
c'est soluble et on peut en acheter sans difficulté.
Dans l'affaire qui nous occupe, le tout, c'était qu'on
ne puisse pas soupçonner un poison.

Lejeune acquiesça de la tête :

— Exactement. De là l'importance que le *Cheval
pâle* attachait à ce que le meurtrier reste à l'écart de
sa victime désignée. On n'a jamais rien soupçonné
de louche. Et pourquoi l'aurait-on fait ? Aucun des
intéressés n'avait pu avoir accès à la nourriture ou
à la boisson de ladite victime. Il, ou elle, n'avait
jamais fait l'emplette de thallium ou d'un poison
quelconque. C'est toute la beauté de la chose. Le
sale travail est fait par quelqu'un qui n'a aucun lien
avec la victime. Quelqu'un qui apparaît une fois et
une fois seulement... Vous n'avez pas d'idée à ce
sujet ? ajouta-t-il après un temps d'arrêt.

— Une seule. Il semble que, dans chaque cas,
une femme charmante, à l'air inoffensif, soit passée avec un questionnaire, au nom d'une unité de
recherche ménagère.

— Et vous pensez que c'est elle qui délivre le
poison ? Sous forme d'échantillon ? Quelque chose
comme ça ?

— Je doute que ce soit aussi simple, répondis-je lentement. J'ai dans l'idée que ces femmes sont irréprochables. Mais, d'une manière ou d'une autre, elles font partie du plan. Nous pouvons peut-être découvrir quelque chose en allant nous entretenir avec une dénommée Eileen Brandon, qui travaille dans un café de Tottenham Court Road.

★

La description d'Eileen Brandon par Poppy se révéla parfaitement exacte — du point de vue de Poppy, s'entend. Ses cheveux, tirés en arrière, n'évoquaient en rien une choucroute ou un nid en pagaille. À peine maquillée, elle était chaussée de ce qu'on appelle, je crois, des chaussures à semelles compensées. Son mari, nous confia-t-elle, était mort dans un accident de voiture, la laissant seule avec deux enfants en bas âge. Avant la place qu'elle occupait présentement, elle avait été salariée pendant un an par un institut de sondage du nom de Classification des Réactions des Clients. Elle en était partie de son plein gré parce que le travail lui déplaisait.

— Pourquoi vous déplaisait-il, Mrs Brandon ? demanda Lejeune.

Elle le regarda :

— Vous êtes inspecteur de police, n'est-ce pas ?

— C'est exact, Mrs Brandon.

— Vous pensez qu'il y a du louche dans cette société ?

— C'est justement ce que j'essaie de savoir. Soupçonnez-vous une malversation quelconque ? Est-ce pour cela que vous l'avez quittée ?

— Je n'ai rien de précis sur quoi m'appuyer, rien de précis à vous raconter.

— Naturellement. Nous le comprenons fort bien. Mais il s'agit d'une enquête confidentielle.

— Je comprends bien. Mais c'est vrai, j'ai très peu à dire.

— Vous pouvez déjà m'expliquer pourquoi vous avez voulu partir.

— J'avais l'impression qu'il se passait des choses que j'ignorais.

— Sous-entendez-vous que le but avoué de l'entreprise n'était pas le vrai ?

— Quelque chose comme ça. La société ne paraissait pas administrée comme elle aurait dû l'être. Je soupçonnais un objectif caché. Mais ce qu'était cet objectif, je n'en ai toujours aucune idée.

Lejeune lui posa d'autres questions relatives au travail exact qu'on lui demandait de faire. On lui donnait une liste d'habitants d'un quartier, elle devait aller les voir, leur poser des questions et noter leurs réponses.

— Et qu'est-ce qui vous semblait louche là-dedans ?

— Les questions n'avaient pas l'air de se rapporter à un sujet particulier de recherche. Elles étaient décousues, presque lancées au petit bonheur. Comme si... comment dire ?... comme si elles étaient là pour masquer quelque chose d'autre.

— Avez-vous une idée de ce que ce « quelque chose d'autre » aurait pu être ?

— Non. C'est justement ce qui m'intriguait.

Après un moment de silence, elle reprit en hésitant :

— À un moment donné, je me suis demandé si tout ceci n'avait pas été organisé pour préparer des cambriolages, si ce n'avait pas été de l'espionnage à domicile, en quelque sorte. Mais cela ne pouvait pas être ça, car je n'étais jamais censée poser de questions sur les lieux, les systèmes de fermeture, etc., ni sur les heures et les jours auxquels les occupants de la maison avaient une chance d'être sortis ou partis en voyage.

— Quels sujets abordiez-vous dans ces questionnaires ?

— Cela variait. Parfois les produits alimentaires : céréales, préparations pour gâteaux ; ou alors savon en paillettes et détergents. Parfois cosmétiques, poudres, rouges à lèvres, crèmes, etc. Quelquefois spécialités pharmaceutiques telles que les différentes sortes d'aspirine, de pastilles pour la toux, de somnifères, de stimulants, de gargarismes, d'eau dentifrice, de remèdes à l'indigestion, etc.

— On ne vous chargeait jamais, demanda Lejeune sans avoir l'air d'y attacher d'importance, de distribuer des échantillons de l'un ou l'autre de ces produits ?

— Non. Rien de pareil.

— Vous ne faisiez que poser des questions et noter les réponses ?

— Oui.

— Et quel était en principe le but de ces enquêtes ?

— C'est ce qui me paraissait si bizarre. On ne nous le disait jamais exactement. Nous étions censés fournir des informations à certains fabricants, mais nos questionnaires n'avaient rien de professionnel ni de systématique.

— Serait-il à votre avis possible que, parmi toutes les questions qu'on vous demandait de poser, il n'y en ait eu que quelques-unes — voire même une seule — qui auraient justifié l'entreprise, toutes les autres ne servant que de camouflage ?

Elle réfléchit, puis hocha la tête :

— Oui, cela pourrait expliquer ce choix au petit bonheur la chance, mais je n'ai pas la moindre idée de celles qui pouvaient avoir de l'importance.

Lejeune lui jeta un regard perspicace.

— Il y a certainement beaucoup plus, dans cette affaire, que ce que vous voulez bien nous en confier, remarqua-t-il sans agressivité aucune.

— Pas vraiment, c'est tout le problème, justement. Tout au plus avais-je l'impression qu'il y avait des bizarreries dans cette mise en scène. J'en ai parlé à quelqu'un d'autre, à Mrs Davis...

— Vous en avez parlé à Mrs Davis, oui ? répéta Lejeune dont la voix n'avait pas changé.

— Elle était tourmentée, elle aussi.

— Et qu'est-ce qui la tourmentait ?

— Elle avait entendu des rumeurs.

— Quel genre de rumeurs ?

— Je vous répète que je ne sais rien de précis. Elle ne m'a pas donné de détails. Elle m'a seulement avoué que, d'après ce qu'elle avait entendu, toute cette mise en scène dissimulait une sorte de racket. « Ce n'est pas ce dont ça a l'air », voilà ce qu'elle m'a dit. Et puis elle a conclu : « Bah ! après tout, cela ne nous regarde pas. L'argent est bon à prendre et on ne nous oblige pas à faire quoi que ce soit d'illégal, alors je ne vois pas pourquoi on devrait se casser la tête à ce propos. »

— Et c'est tout ?

— Elle a encore ajouté quelque chose, mais je ne sais pas ce qu'elle voulait dire par là. « J'ai l'impression parfois d'être Mary Typhoïde et d'avoir comme elle contaminé beaucoup de monde. »

Lejeune sortit une feuille de papier de sa poche et la lui tendit :

— Est-ce qu'un de ces noms-là vous dit quelque chose ? Vous rappelez-vous être jamais allée chez l'une de ces personnes ?

— Je ne m'en souviendrais pas, j'en ai vu tellement... Ormerod, sourcilla-t-elle après avoir parcouru la liste de bout en bout.

— Vous vous rappelez un Ormerod ?

— Non, mais Mrs Davis m'en a parlé une fois. Il est mort soudainement, non ? D'une hémorragie cérébrale. Ça l'avait bouleversée. « Il était sur ma liste il y a quinze jours. Il avait l'air de se porter comme un charme. » Et c'est après ça qu'elle avait mentionné Mary Typhoïde. « On dirait qu'après ma visite, certaines personnes avalent leur bulletin de naissance rien que pour m'avoir entrevue une fois », m'a-t-elle déclaré en riant. Elle pensait qu'il s'agissait d'une coïncidence, mais je crois que ça ne lui plaisait pas beaucoup. Quoi qu'il en soit, elle était bien décidée à ne pas s'en inquiéter.

— Et c'est tout?

— Eh bien...

— Dites.

— C'est arrivé un peu plus tard. Je ne l'avais pas vue depuis quelque temps. Nous nous sommes rencontrées un jour dans un restaurant de Soho. Je lui ai raconté que j'avais quitté le CRC et que je travaillais ailleurs. Elle m'a demandé pourquoi, et je lui ai avoué que je m'y sentais mal à l'aise, ne sachant pas ce qui s'y passait. Elle m'a répondu : « Vous avez peut-être choisi la solution de la sagesse. Mais c'est beaucoup d'argent pour peu d'heures de travail. Après tout, qui ne risque rien n'a rien! Je n'ai pas eu énormément de chance dans ma vie, alors pourquoi irais-je me soucier de ce qui arrive aux autres? » J'ai répliqué : « Je ne comprends pas de quoi vous parlez. Qu'est-ce qui est anormal dans cette entreprise? » Et elle m'a raconté : « Je n'en jurerais pas, mais j'ai bien cru reconnaître quelqu'un l'autre jour. Quelqu'un qui sortait — et avec une trousse à outils par-dessus le marché — d'une maison où il n'avait rien à faire. Je voudrais bien savoir pourquoi. » Et elle m'a demandé aussi si j'avais jamais rencontré la femme qui est à la tête, quelque part, d'un pub nommé le *Cheval pâle*. À mon tour, je lui ai demandé ce que le *Cheval pâle* avait à voir avec tout ça.

— Et que vous a-t-elle répondu?

— Elle a ri et m'a recommandé : « Relisez donc votre Bible. » Je n'ai pas compris ce qu'elle voulait dire par là. C'est la dernière fois que je l'ai vue. J'ignore où elle est maintenant, si elle est toujours au CRC ou si elle en est partie.

— Mrs Davis est morte, déclara Lejeune.

Eileen Brandon parut stupéfaite :

— Morte! Mais de quoi?

— D'une pneumonie. Il y a deux mois.

— Oh! Comme c'est triste...

— Vous ne pouvez rien nous dire d'autre, Mrs Brandon ?

— J'ai bien peur que non. J'ai entendu d'autres personnes mentionner le *Cheval pâle,* mais quand on les interroge à ce sujet, elles se taisent aussitôt. Et elles ont l'air effrayé.

Elle était visiblement mal à l'aise :

— Je... je ne voudrais pas être mêlée à quoi que ce soit de dangereux, inspecteur Lejeune. J'ai deux petits enfants... Honnêtement, je ne sais rien de plus que ce que je vous ai dit.

Il lui lança un coup d'œil pénétrant, hocha la tête et la laissa partir.

— Ça nous avance quand même un peu, déclara Lejeune quand Eileen Brandon fut hors de vue. Mrs Davis devait en savoir trop. Elle a essayé de fermer les yeux sur ce qui se passait, mais elle devait soupçonner la vérité. Puis elle est soudain tombée malade et quand elle a été mourante, elle a envoyé chercher un prêtre pour lui raconter ce qu'elle savait et ce qu'elle subodorait. Mais que savait-elle au juste ? C'est toute la question. J'imagine que la liste de noms qu'elle avait donnée correspondait aux personnes auxquelles elle avait rendu visite à l'occasion de son travail, et qui étaient mortes ensuite. De là son allusion à Mary Typhoïde. Mais qui avait-elle reconnu qui sortait, sous un déguisement d'ouvrier quelconque, d'une maison où il n'avait rien à faire ? Voilà le véritable problème. C'est sans doute la raison pour laquelle on l'a considérée comme dangereuse. Si elle avait transmis l'information au père Gorman, alors il était impératif de le réduire d'urgence au silence avant qu'il ne la communique à son tour. Vous êtes d'accord, n'est-ce pas ? Ça s'est sans doute passé comme ça.

— Oh ! oui, répondis-je. Je suis d'accord.

— Et qui est-ce ? Vous avez peut-être une idée ?

— J'ai bien une idée, mais...

— Je sais. Nous n'avons pas le commencement d'une preuve.

Après un moment de silence, il se leva :

— Mais nous l'aurons, cette preuve. Je vous le garantis. Une fois que nous saurons avec certitude de qui il s'agit, ce ne seront pas les moyens qui nous manqueront. Et nous les essaierons tous, les uns après les autres !

23

RÉCIT DE MARK EASTERBROOK

Trois semaines plus tard, une voiture s'arrêtait devant Priors Court.

Quatre hommes en descendirent : l'inspecteur Lejeune, le sergent Lee et moi. Le quatrième était Mr Osborne, qui retenait avec peine son ravissement d'avoir été autorisé à faire partie du groupe.

— Vous devrez tenir votre langue, l'avait prévenu Lejeune.

— Oui, bien sûr, inspecteur. Vous pouvez compter sur moi. Je ne prononcerai pas un mot.

— Je l'espère bien.

— C'est un privilège, un grand privilège... bien que je ne comprenne pas vraiment...

Mais à ce moment-là, personne n'était d'humeur à lui donner des explications.

Lejeune tira la cloche et demanda à voir Mr Venables.

Nous avions l'air d'une délégation. On nous fit entrer tous les quatre.

Si Venables fut surpris de notre visite, il n'en laissa rien paraître. Il nous reçut avec une extrême courtoisie. Comme il poussait un peu son fauteuil en arrière pour agrandir le cercle, je fus de nouveau frappé par son aspect tout à fait particulier, avec sa pomme d'Adam qui jouait les ludions entre les ailes de son col démodé et son profil décharné au nez crochu comme le bec d'un oiseau de proie.

— Ravi de vous revoir, Easterbrook. On dirait que vous fréquentez beaucoup la région, en ce moment.

Son ton avait une vague intonation malveillante. Il poursuivit :

— Et... l'inspecteur Lejeune, c'est bien ça ? Je dois avouer que cela éveille ma curiosité. Ce trou perdu est si paisible, si étranger au crime. Et pourtant, un inspecteur de police s'y présente ! Que puis-je pour vous, inspecteur ?

Très calme, très aimable, Lejeune lui répondit :

— Nous pensons que vous pouvez peut-être nous aider, Mr Venables.

— Voilà un air bien connu, n'est-ce pas ? Et de quelle manière puis-je vous aider ?

— Le 7 octobre, un prêtre, le père Gorman, a été tué dans West Street, à Paddington. On m'a donné à entendre que vous vous trouviez dans le voisinage à cette heure-là, entre 19 h 45 et 20 h 15, et que vous pourriez avoir vu quelque chose qui serait en rapport avec cette histoire.

— Étais-je vraiment dans ces parages à cette heure tardive ? J'en doute, vous savez, j'en doute beaucoup. Autant que je m'en souvienne, je ne suis jamais allé dans ce quartier de Londres. Et je ne pense même pas avoir été à Londres ce jour-là. Je n'y vais que rarement, pour assister à une vente ou me faire faire un *check-up*.

— Chez sir William Dugdale, de Harley Street, je crois.

Mr Venables lui lança un regard froid :

— Vous êtes très bien informé, inspecteur.

— Pas autant que je le voudrais. Je suis déçu que vous ne puissiez pas m'aider comme je l'espérais. Je dois cependant vous rapporter les faits qui sont en rapport avec la mort du père Gorman.

— Bien entendu, si cela peut vous faire plaisir. C'est un nom qui m'était inconnu jusqu'ici.

— Il y avait du brouillard, ce soir-là, quand le père Gorman a été appelé dans le voisinage, au chevet d'une mourante. Celle-ci, sans en avoir conscience au début, avait été embringuée dans une organisation criminelle. Une organisation spécialisée dans la disparition de personnes jugées encombrantes par leurs proches — le tout moyennant substantielle rémunération, cela va sans dire.

— Ce n'est pas très nouveau, murmura Venables. Aux États-Unis...

— Ah! mais c'est que cette organisation avait des aspects très particuliers. D'abord, ces disparitions étaient ostensiblement provoquées par ce qu'on pourrait appeler des moyens psychologiques. On stimulerait ce qu'on appelle le « désir de mort » présent en chacun de nous...

— De façon que la personne en question se suicide obligeamment? M'est avis, inspecteur, que cela paraît trop beau pour être vrai.

— Elle ne se suicide pas, Mr Venables. La personne en question meurt d'une mort parfaitement naturelle.

— Allons, allons. Vous croyez vraiment à ça? Cela m'étonne de la part de nos forces de police, si parfaitement réalistes!

— On prétend que le quartier général de cette organisation serait un endroit dénommé le *Cheval pâle*.

— Ah! maintenant je commence à comprendre. Voilà ce qui vous amène dans notre agréable campagne : mon amie Thyrza Grey et ses singeries! Je n'ai jamais réussi à savoir si elle y croyait elle-même ou non. Mais pour des singeries, ce sont des singeries! Elle a une amie débile mentale qui donne dans la médiumnité, et c'est la sorcière locale qui leur fait la cuisine — elles ont bien du courage de la manger... gare à la ciguë dans la soupe! Ces trois pauvres vieilles ont acquis une réputation certaine dans le pays. On en dit pis que pendre, bien entendu, mais n'essayez tout de même pas de me faire croire que Scotland Yard, ou Dieu sait qui vous envoie, prend tout ça au sérieux?

— Et pourtant si, nous le prenons très au sérieux, Mr Venables.

— Vous croyez vraiment que les déclamations de Thyrza, les transes de Sybil et la magie noire de Bella ont pour effet tangible la mort de quelqu'un?

— Oh! non, Mr Venables. Ladite mort tient à des causes beaucoup plus prosaïques...

Il se tut un moment puis ajouta:

— La cause, c'est un poison, le thallium.

Un silence suivit. Puis l'infirme s'enquit:

— Qu'est-ce que vous dites?

— Un empoisonnement par des sels de thallium. Simple, direct et imparable. Seulement, il ne faut pas que ça se sache, et quelle meilleure méthode pour le dissimuler que le mettre à la sauce pseudo scientifique, en battant le rappel du vaudou, de la magie et des vieilles superstitions? Tout cela bien calculé pour détourner l'attention du fait qu'on administre tout bonnement du poison.

— Du thallium..., répéta Mr Venables, les sourcils froncés. Je ne crois pas en avoir jamais entendu parler.

— Non? On l'utilise largement contre les rats, et parfois en dépilatoire pour les enfants atteints de la teigne. On peut s'en procurer très facilement. Entre parenthèses, il y en a un paquet rangé dans un coin de votre serre.

— Dans *ma* serre? Cela m'étonnerait.

— Et pourtant c'est le cas. Nous en avons pris un peu pour l'analyser...

Venables commençait à s'énerver:

— C'est quelqu'un qui a dû l'y mettre. Je ne suis pas au courant de ça. Pas au courant du tout.

— Vraiment? Vous êtes un homme plutôt riche, n'est-ce pas Mr Venables?

— Quel rapport avec ce dont nous parlons?

— Le fisc vous a, me semble-t-il, posé récemment quelques questions embarrassantes, non? Concernant vos sources de revenus, j'entends.

— Les impôts en Grande-Bretagne sont indubitablement une plaie pour les bons citoyens que nous sommes. J'ai, ces derniers temps, très sérieusement songé à partir m'installer aux Bermudes.

— Je ne pense pas que vous irez aux Bermudes avant longtemps, Mr Venables.

— Serait-ce une menace, inspecteur ? Parce que si tel était le cas...

— Non, non, Mr Venables. C'est juste une opinion qui n'engage que moi. Avez-vous envie de savoir comment fonctionne ce petit racket ?

— Vous avez l'air décidé à me l'apprendre.

— C'est très bien organisé. Les détails financiers sont mis au point par un avocat radié du barreau du nom de Bradley. Les clients potentiels viennent le voir et ils font affaire. Plus précisément, on parie que quelqu'un va mourir dans un temps donné. Mr Bradley, qui adore les paris, est généralement pessimiste dans ses pronostics. Le client, d'habitude, est plus optimiste. Quand Mr Bradley gagne son pari, il faut le payer aussitôt, sinon un événement déplaisant risque de se produire. C'est tout ce que Mr Bradley a à faire : parier. Facile, n'est-ce pas ?

» Ensuite, le client doit se rendre au *Cheval pâle*. Miss Thyrza Grey et ses amies lui présentent un spectacle destiné à l'impressionner comme il convient.

» Parlons maintenant de ce qui se passe en coulisse.

» On envoie d'honnêtes employées d'un de nos innombrables instituts de sondage, munies d'un questionnaire, interroger des gens dans un quartier dûment circonscrit : « Quel pain préférez-vous ? Quels articles de toilette ? Quels cosmétiques ? Quels laxatifs, toniques, sédatifs ou sels pour la digestion ? » Les gens ont l'habitude, aujourd'hui, de répondre à des enquêtes de marché. Ils refusent rarement.

» Et nous en arrivons au dernier acte. Simple, audacieux, couronné de succès ! Le seul qui soit réalisé par le créateur de la machination en personne. Il portera un uniforme de portier d'immeuble, ou bien il sera l'homme qui passe relever les compteurs. Ou encore, il sera plombier, électricien — un ouvrier quelconque. Quel qu'il soit, il aura les papiers nécessaires pour le prouver si quelqu'un les lui demande. La plupart des gens ne le font pas. Et quel que soit le rôle qu'il joue, son but est très simple : substituer une préparation qu'il a apportée avec lui à un article similaire que la victime utilise — ce qu'il sait grâce au questionnaire du C. R. C. Il va peut-être taper sur les tuyaux, examiner les compteurs ou la pression de l'eau, mais la substitution est son seul objectif réel. Celui-ci une fois atteint, il s'en va et on ne le reverra jamais plus dans les parages.

» Pendant quelques jours, rien ne se passe. Mais tôt ou tard, la victime présente des symptômes de maladie. On appelle un médecin, mais il n'a aucune raison de soupçonner quelque chose d'anormal. Il demandera peut-être ce que le malade a mangé ou bu, mais il ne va pas se méfier d'un produit dont le patient se sert depuis des années.

» Vous appréciez toute la beauté de la machination, Mr Venables ? La seule personne qui soit au courant de ce que fait le cerveau de l'organisation, c'est le cerveau lui-même. Qui pourrait le dénoncer ?

— Alors, comment savez-vous tout ça ? demanda aimablement Mr Venables.

— Quand nous soupçonnons quelqu'un, nous avons les moyens de nous en assurer.

— Vraiment ? Lesquels ?

— Inutile de les énumérer tous. Mais aujourd'hui, il existe toutes sortes d'ingénieux appareils. On peut photographier quelqu'un sans qu'il s'en doute, par exemple. C'est ainsi que nous avons quelques excellentes photos d'un portier d'immeuble en uniforme, d'un releveur du gaz, et d'autres. Il porte, bien sûr, des fausses moustaches, différentes dentures, mais notre homme a été reconnu facilement d'abord par miss Katherine Corrigan, alias Mrs Mark Easterbrook, et ensuite par une femme du nom d'Edith Binns. L'identification est une chose très intéressante, Mr Venables. C'est ainsi que Mr Osborne, ici présent, est prêt à jurer qu'il vous a vu suivre le père Gorman dans Barton Street, le soir du 7 octobre, vers 20 heures.

— Et je vous ai vu! s'écria Mr Osborne en se penchant vers lui, tremblant d'excitation. Je vous ai décrit... Je vous ai décrit e-xac-te-ment!

— Peut-être trop exactement, Mr Osborne, répliqua Lejeune. Parce que vous n'avez pas pu voir Mr Venables le soir où vous vous trouviez sur le pas de la porte de votre pharmacie. Pour l'excellente raison que *vous ne vous y trouviez pas*. Vous étiez vous-même de l'autre côté de la rue, et vous avez suivi le père Gorman jusqu'à ce qu'il tourne dans West Street. Là, vous l'avez rejoint et vous l'avez tué...

— *Quoi!* s'exclama Mr Zacharias Osborne.

Cela aurait pu paraître ridicule. C'était ridicule! Cette mâchoire tombante, ces yeux fixes...

— Permettez-moi, Mr Venables, de vous présenter Mr Zacharias Osborne, ancien pharmacien sur Barton Street, à Paddington. Vous vous intéresserez à lui quand je vous aurai dit que Mr Osborne, dont nous observons les faits et gestes depuis quelque temps, a eu la malencontreuse idée de cacher un paquet de sels de thallium dans votre serre. Ignorant votre infirmité, il s'était amusé à vous faire jouer le rôle du vilain de l'histoire; et comme il est aussi obstiné que stupide, il a refusé d'admettre qu'il s'était fichu dedans.

— Stupide? Vous osez dire que je suis stupide? Si vous saviez... Si vous aviez une idée de ce que j'ai fait... de ce que je peux faire... Je...

Osborne bredouillait, il avait des trémolos de rage.

Lejeune lui résuma soigneusement la situation. Il me faisait penser à un pêcheur fatiguant un poisson.

— Vous n'auriez pas dû essayer de vous montrer si malin, vous savez, lui dit-il d'un ton de reproche. Si vous étiez resté simplement bien tranquille dans votre officine, je ne serais pas là aujourd'hui à vous prévenir, comme c'est mon devoir, que tout ce que vous direz sera consigné par écrit et pourra...

C'est alors que Mr Osborne se mit à hurler.

24

— Dites-moi, Lejeune, il y a un tas de choses que je voudrais savoir.

Les formalités accomplies, j'étais enfin seul avec lui. Nous étions attablés chacun devant une chope de bière.

— Oui, Mr Easterbrook ? J'imagine que ç'a été une surprise pour vous.

— Et comment ! J'étais obnubilé par Venables. Vous ne m'aviez rigoureusement rien laissé entrevoir de la vérité.

— Je ne pouvais pas me le permettre, Mr Easterbrook. Ces parties-là, il faut les jouer serré. Elles sont épineuses. Il faut bien reconnaître que nous n'avions pas grand-chose à nous mettre sous la dent. Voilà pourquoi nous avons monté cette comédie, avec la coopération de Venables. Il fallait mener Osborne en bateau et puis nous retourner brusquement contre lui, en espérant qu'il s'effondrerait. Et ça a marché.

— Est-ce qu'il est fou ? demandai-je.

— Je crois qu'il a maintenant sauté le pas. Au début, il ne l'était pas, bien entendu. Mais on ne tue pas impunément. Le meurtre vous fait vous sentir plus grand, plus fort que nature. Vous vous prenez soudain pour le Tout-Puissant. Mais vous ne l'êtes pas. On vous a percé à jour, vous n'êtes qu'un minable, un laissé pour compte. Et quand cette vérité vous saute brusquement à la figure, votre ego ne peut pas le supporter. Vous hurlez, vous tempêtez, vous vous vantez de ce que vous avez fait et de votre intelligence. Enfin, vous l'avez vu à l'œuvre.

Je hochai la tête :

— Ainsi, Venables faisait partie de votre plan... Avait-il été séduit par l'idée ?

— Je crois qu'elle l'amusait, répondit Lejeune. Elle lui a, de surcroît, permis de se payer de culot et de me faire observer qu'un service en valait un autre.

— Et qu'entendait-il par cette mystérieuse remarque ?

— Je ne devrais pas vous le dire, répondit Lejeune. Je le fais néanmoins à titre confidentiel. Il y a huit ans environ, il s'est produit toute une série de cambriolages de banques. Avec chaque fois la même technique. Et les cambrioleurs n'ont jamais été pris ! Les hold-up étaient soigneusement préparés par quelqu'un qui ne participait pas à l'opération elle-même. Cet homme a disparu avec des sommes faramineuses. Nous avions bien une idée de son identité, mais sans en posséder la moindre preuve. Il était trop malin pour nous. Surtout sur l'aspect financier des choses. Et il a eu le bon sens de ne plus jamais tenter de recommencer. Je n'en dirai pas plus. C'était une crapule surdouée, pas un meurtrier. Personne n'y a laissé sa peau.

Mes pensées se réorientèrent sur Zacharias Osborne :

— Vous avez toujours soupçonné Osborne ? Depuis le début ?

— Ma foi, c'est lui-même qui avait attiré notre attention sur lui. Comme je le lui ai dit, s'il était resté bien tranquille dans son coin, s'il n'avait pas remué ciel et terre dans le but de se faire remarquer, il ne nous serait jamais venu à l'idée que Mr Zacharias Osborne, ce respectable pharmacien, avait le moindre rapport avec l'affaire. Mais, aussi bizarre que cela puisse paraître, c'est précisément ce dont les meurtriers sont incapables. Ils sont chez eux bien au chaud, tranquilles comme Baptiste. Mais c'est cette tranquillité même qu'ils ne peuvent supporter. Je ne comprendrai jamais pourquoi.

— Le désir de mort, suggérai-je. Une variante de la théorie de Thyrza Grey.

— Plus vite vous oublierez miss Thyrza Grey et tout ce qu'elle vous a raconté, mieux ça vaudra, répliqua sévèrement Lejeune. Non, ajouta-t-il, songeur, en vérité je pense que c'est l'isolement, la solitude qui font sortir le loup du bois. Comment se peut-il que vous, un type aussi remarquable, vous n'ayez personne d'autre que vous-même à épater?

— Vous ne m'avez pas dit à quel moment vous avez commencé à le soupçonner?

— Eh bien, il s'est mis tout de suite à nous débiter des bobards. Nous avions demandé à quiconque aurait vu le père Gorman ce soir-là de se mettre en rapport avec nous. Mr Osborne s'est manifesté et son témoignage puait le mensonge. Il avait vu un homme suivre le père Gorman et il nous en a décrit les traits, qu'il n'aurait jamais pu voir de l'autre côté de la rue, par une soirée de brouillard. À la rigueur, un nez aquilin, de profil, il aurait pu le remarquer, mais pas une pomme d'Adam. C'était trop. Bien sûr, il pouvait s'agir d'un mensonge parfaitement innocent. Mr Osborne pouvait simplement désirer se donner de l'importance. Il n'aurait pas été le premier dans son cas. Quoi qu'il en soit, cela a attiré mon attention sur lui et j'ai constaté que c'était en réalité un bien curieux personnage. Il s'est aussitôt mis à me raconter un tas de choses sur lui-même. En quoi il a été bien mal inspiré. Il m'a brossé le portrait de quelqu'un qui s'est toujours efforcé de se hisser au-dessus de sa condition. Reprendre la vieille affaire de son père ne lui suffisait pas. Il était allé chercher fortune sur les planches, apparemment sans succès. À mon avis, parce qu'il n'avait sans doute pas pu tout régenter. Personne n'allait lui imposer la manière dont il devait interpréter un rôle ! Il était probablement sincère quand il exprimait son désir d'être témoin dans un procès criminel pour identifier avec certitude l'individu qui lui aurait acheté du poison. J'imagine qu'il a beaucoup fantasmé là-dessus. Évidemment, nous ne savons ni jusqu'à quel point ni quand l'idée lui est venue de devenir lui-même un grand criminel, un criminel si intelligent qu'on ne pourrait jamais le traîner en justice.

» Mais tout cela n'est que pure hypothèse. Revenons en arrière. La description qu'Osborne m'avait faite de l'homme qu'il avait vu ce soir-là était intéressante. C'était visiblement celle d'une personne réelle, de quelqu'un qu'il avait vu un jour. Il est extraordinairement difficile, vous savez, de décrire un individu. Les yeux, le nez, le menton, les oreilles, l'allure et tout le reste. Essayez, vous verrez que vous vous surprendrez à faire le portrait de quelqu'un que vous avez remarqué quelque part, dans l'autobus ou dans le train. De toute évidence, Osborne m'avait dépeint un homme aux caractéristiques inhabituelles. Je pense qu'un jour, à Bournemouth, il avait vu Venables, assis dans sa voiture, et qu'il en avait été frappé. Dans cette position, son infirmité devait passer inaperçue.

» Le fait qu'Osborne soit pharmacien était également une raison pour que je m'intéresse à lui. Je n'excluais pas l'hypothèse, au début, que notre liste ait un rapport éventuel avec le commerce de la drogue. En réalité, il n'en était rien et j'aurais pu, en conséquence, oublier complètement Mr Osborne si Mr Osborne lui-même n'avait décidé de rester dans le champ. Brûlant de savoir au juste ce que nous faisions et où nous en étions de l'enquête, il nous a envoyé une lettre pour nous dire qu'il avait vu l'homme en question à une fête paroissiale de Much Deeping. Il ne savait toujours pas que Mr Venables était paralysé. Quand il l'a découvert, il n'a pas eu le bon sens de se taire. Sa vanité était en jeu. La vanité typique du criminel. Il n'était pas disposé à admettre un seul instant qu'il s'était trompé. Stupidement, il s'est enlisé dans son histoire et a fait état de toutes sortes de théories ridicules. La visite que je lui ai rendue à Bournemouth a été très intéressante pour moi. Le nom de sa maison aurait déjà dû le trahir. Everest. C'est comme ça qu'il l'avait baptisée. Et il avait accroché dans l'entrée un tableau représentant le mont Everest. Il m'a expliqué à quel point il se passionnait pour les expéditions dans l'Himalaya.

» *Ever rest :* repos éternel. C'était le genre de plaisanterie facile qu'il affectionnait. C'était aussi son domaine, sa raison sociale. Moyennant de substantiels honoraires, il procurait aux gens le repos éternel. Merveilleuse idée, il faut lui rendre cette justice. D'un bout à l'autre de la chaîne, le montage était remarquable. Bradley à Birmingham, Thyrza Grey et ses séances à Much Deeping... Comment soupçonner Mr Osborne, qui n'était en rapport ni avec Thyrza Grey, ni avec Bradley à Birmingham, ni avec la victime? Du début à la fin, le processus était un jeu d'enfant pour un pharmacien. Comme je l'ai déjà dit, si seulement Mr Osborne avait eu le bon sens de ne pas montrer le bout de son nez...

— Mais qu'est-ce qu'il faisait de son argent? demandai-je. Après tout, c'est pour l'argent qu'il agissait, je présume?

— Oh! oui, c'était bien pour ça. Il avait sans aucun doute des idées de grandeur, il se voyait voyageant, recevant, devenant une riche et importante personnalité. Mais, bien entendu, il n'était pas à la hauteur de ses rêves. Je pense que son sentiment de puissance a été exalté par l'accomplissement de ses meurtres. Tuer à jet continu sans châtiment ni sanction lui est monté à la tête. Qui plus est, il sera enchanté de se trouver au banc des accusés où il sera le point de mire de tous les regards. Vous verrez si je n'ai pas raison.

— Mais qu'est-ce qu'il faisait de son argent? répétai-je.

— Oh! c'est très simple, répondit Lejeune, mais je crois que je n'aurais rien compris si je n'avais pas remarqué la manière dont il a décoré son pavillon. Il était d'une avarice sordide, cela sautait aux yeux. La maison était à peine meublée, et rien qu'avec des objets achetés à bas prix dans des ventes aux enchères. Il n'aimait pas dépenser l'argent, il voulait seulement le *posséder*.

— Vous voulez dire qu'il a tout mis à la banque?

— Oh! non. Je pense plutôt que nous allons tout retrouver quelque part, sous le plancher de son pavillon, par exemple.

Lejeune et moi restâmes un moment silencieux à réfléchir à l'étrange créature qu'était Zacharias Osborne. Puis Lejeune reprit, rêveur :

— Corrigan prétendrait que la cause de tout c'est la rate, ou le pancréas, ou je ne sais encore quelle glande qui, chez Osborne, fonctionne trop ou pas assez — je ne me rappelle jamais si c'est une question de plus ou de moins. Mais moi qui n'ai pas inventé la poudre, j'estime que le bonhomme est tout simplement un immonde salopard. Et ce qui me sidère — et m'a toujours sidéré — c'est qu'un homme aussi intelligent puisse être, en même temps, un parfait imbécile.

— Le Cerveau d'une pareille entreprise, on l'imaginerait plutôt comme une grandiose et sinistre incarnation du mal.

Lejeune secoua la tête :

— Oui... Et pourtant ce n'est pas du tout le cas. Le mal n'a rien de surhumain, c'est quelque chose de moins qu'humain. Votre criminel, c'est quelqu'un qui se veut important mais qui ne le sera jamais, parce qu'il sera toujours moins qu'un homme.

25

Récit de Mark Easterbrook

À Much Deeping, tout était divinement normal, réconfortant. Rhoda s'occupait fiévreusement de soigner ses chiens. Cette fois, je crois qu'il s'agissait de les débarrasser de leurs vers. En me voyant arriver, elle me demanda si je voulais assister au spectacle. Je déclinai l'invitation et demandai où était Ginger.

— Elle est allée au *Cheval pâle*.

— *Quoi?*

— Elle avait quelque chose à faire là-bas.

— Mais la maison est vide !

— Je le sais bien.

— Elle va se fatiguer. Elle n'est pas encore en état...

— Cesse de jouer les mères poules, Mark. Ginger se porte comme un charme. Tu as vu le nouveau roman de Mrs Oliver? Il s'intitule *Le Cacatoès blanc*. Il est là-bas, sur la table.

— Que Dieu bénisse Mrs Oliver. Et Edith Binns par-dessus le marché.

— Qui diable est Edith Binns?

— Une femme qui a reconnu quelqu'un sur une photographie. Et aussi la fidèle servante de feu ma marraine.

— Je ne comprends plus jamais un mot de ce que tu racontes. Qu'est-ce qui t'arrive?

Plutôt que de répondre, je me mis en route pour le *Cheval pâle*.

Juste avant d'arriver, je rencontrai Mrs Dane Calthrop. Elle me salua avec enthousiasme :

— J'ai toujours eu le sentiment que je me montrais stupide, mais je ne savais pas en quoi. Je gobais en fait tous ces attrape-nigauds.

Elle agita la main en direction de l'auberge, déserte et paisible dans le soleil de l'automne finissant, et poursuivit :

— Il n'y a jamais eu là quoi que ce soit de satanique — pas au sens où nous l'entendions. Pas de relations fantastiques avec le Malin, pas de ténébreuses et diaboliques splendeurs. Rien d'extraordinaire ou de grandiose, rien que du minable et du plus bas que terre.

— L'inspecteur Lejeune et vous paraissez du même avis.

— Cet homme me plaît, confirma Mrs Dane Calthrop. Venez, entrons au *Cheval pâle*. Allons chercher Ginger.

— Mais qu'est-ce qu'elle fait là ?

— Elle nettoie quelque chose.

Nous passâmes sous le porche. Une violente odeur de térébenthine nous prit à la gorge. Ginger s'affairait avec des chiffons et des fioles. En nous entendant entrer, elle leva la tête. Très pâle et amaigrie, elle était l'ombre d'elle-même et portait un foulard noué autour de la tête, car ses cheveux n'avaient pas encore repoussé.

— Elle se porte comme un charme, me dit Mrs Dane Calthrop, lisant comme toujours dans mes pensées.

— Regardez ! s'écria Ginger, triomphante.

Elle nous montra la vieille enseigne de l'auberge sur laquelle elle travaillait.

Une fois ôtée la crasse accumulée au fil des ans, on distinguait très bien maintenant la silhouette du cavalier : un squelette grimaçant aux os étincelants.

La voix sonore et profonde de Mrs Dane Calthrop s'éleva dans mon dos :

— L'Apocalypse, chapitre VI, huitième verset : *Et je regardai et le vis. C'était un Cheval pâle ; et son cavalier se nommait la Mort, et l'Enfer le suivait...*

Nous restâmes silencieux un moment puis Mrs Dane Calthrop, qui ne craignait pas les brusques retours sur terre, déclara abruptement :

— Tout est fini, bon débarras ! Maintenant, il faut que je file, ajouta-t-elle. Une réunion de mères de famille...

Elle s'arrêta un instant à la porte, fit un signe de tête à Ginger et remarqua de façon tout à fait inattendue :

— Vous ferez une très bonne mère de famille.

Pour Dieu sait quelle raison, Ginger rougit jusqu'aux oreilles.

— Ginger, dis-je, voulez-vous... ?

— Est-ce que je veux quoi ? Être une bonne mère ?

— Vous savez très bien ce que je veux dire.

— Peut-être... Mais je préférerais une demande en bonne et due forme.

Je lui fis une demande en bonne et due forme.

Après un interlude, Ginger s'enquit :

— Êtes-vous absolument sûr que vous ne préférez pas épouser la dénommée Hermia ?

— Seigneur ! m'exclamai-je. Je l'avais complètement oubliée !

Je sortis une lettre de ma poche :

— Je l'ai reçue il y a trois jours. Elle me propose d'aller avec elle à l'Old Vic voir *Peine d'amour perdue*.

Ginger me prit la lettre des mains et la déchira.

— À l'avenir, quand tu voudras aller à l'Old Vic, tu iras avec moi, déclara-t-elle d'un ton sans réplique.

Achevé d'imprimer en septembre 2008 en Espagne par
LITOGRAFIA ROSÉS S.A.
Gava (08850)
Dépôt légal 1ère publication : novembre 1992
Édition 03: septembre 2008
LIBRAIRIE GÉNÉRALE FRANÇAISE – 31, rue de Fleurus – 75278 Paris Cedex 06